MEDITACIONES DESDE LA CALLE

*A mi esposa y a mis hijos que consienten
y animan mi dedicación a los otros.*

*A esos «otros» queridos que me insisten
continuamente en que no deje de
escribir.*

JAIRO DEL AGUA

Meditaciones desde la calle

KHAF

ISBN 978-84-937-6150-9

© 2010-Ediciones Khaf
Grupo Editorial Luis Vives

Xaudaró, 25
28034 Madrid — España

tel 913 344883 — fax 913 344 893

www.edicioneskhaf.es

DIRECCIÓN EDITORIAL
Juan Pedro Castellano

EDICIÓN
Antonio F. Segovia

DIRECCIÓN DE ARTE
Departamento de Imagen y Diseño GELV

DISEÑO DE COLECCIÓN
Mariano Sarmiento

MAQUETACIÓN
Departamento de Producción GELV

IMPRESIÓN
Talleres Gráficos GELV (50012 Zaragoza)
Certificado ISO 9001

DEPÓSITO LEGAL: Z. 710-2010
IMPRESO EN ESPAÑA

PRÓLOGO

Es una gran alegría para mí escribir este prólogo porque resulta que soy la esposa del autor. Nadie, mejor que una esposa, para conocer al personaje. Los prólogos suelen encomendarse a personas de alto nivel para que refrenden y den prestigio al autor. Pero este marido mío ama la sencillez y tal cosa no cabe en su mentalidad. No busca honores, ni prestigio, ni reconocimiento de terceros. Lo que le va es «hacer el bien» a través de la palabra hablada o escrita. Esta rival es la única que podría levantar mis celos.

Hace ya años, cuando Jairo Javier comenzó a escribir y publicar de forma continuada, me camelaba con su: «tú escribirás el prólogo de mis libros». No he necesitado insistencia alguna. Estoy convencida de que las palabras y la Palabra son su don, su pasión, su camino. Mi misión es apoyarle y animarle porque eso también entra en la «ayuda mutua» del matrimonio. Además me he convertido en la primera lectora de todos sus borradores y la principal crítica de sus fervores y novedades.

Antes escribía en un pequeño despacho con todo lo necesario. Pero, como la casa es pequeña, ha cedido ese espacio a nuestros hijos para facilitarles el estudio y se ha recluido en el dormitorio. Allí tenemos un buró y una pequeña estantería donde ha situado lo esencial. Protagonistas son su portátil, el diccionario de la RAE y la Biblia. En la tapa del buró, en marquetería coloreada, una iglesia de pueblo. Es un icono importante para él porque ama apasionadamente a la Iglesia, este Pueblo de Dios con el que reímos, lloramos y caminamos.

Mi primer encuentro con Jairo del Agua fue en una importante entidad financiera internacional, donde él trabajaba y yo fui a entregar unos documentos. Pasó tiempo pero aquel encuentro cambió para siempre el curso de nuestras vidas y las hizo avanzar en paralelo. Pero eso no tiene importancia ahora.

Lo importante es que desde aquel momento —y han pasado ya muchos años— siempre le he visto ir a más, renovarse, mantenerse en pie ante la adversidad, trabajando por salir de sus miedos, de sus ataduras sicológicas, de sus desequilibrios humanos y religiosos, lo que él llamaría «malos funcionamientos». Le he visto avanzar, dando pasos de gigante, desde una estricta cultura religiosa, limitadora y paralizante, hasta encontrarse con el suave Rostro del Padre y transformarse por entero. Le he admirado —en privado y en público— descubriéndose y descubriendo a otros la luz de ese Rostro, recorriendo paso a paso caminos que —estoy segura— nunca imaginó.

Las reflexiones de Jairo del Agua están insertas en lo cotidiano. Son para esos hombres y mujeres que trabajan, tienen problemas y se sienten solos en este mundo tan inhóspito. Son para aquellos que ya no pueden con las pesadas cargas de una religión caduca o una educación culpabilizante.

Son también para todas aquellas personas que, llenas de sentido común, intuyen que los verdaderos caminos no son los que, generación tras generación, llevan a darse de bruces con los mismos muros. Son para aquellos que sienten bullir en su interior ansias de liberación, de encuentro, de profundidad. Que tienen el deseo y la determinación de adentrarse, por su propio pie, en la Tierra Prometida.

Sus escritos han nacido al hilo de las reflexiones que, mirándose a sí mismo o mirando a los demás, le han brotado del corazón. No son fruto del azar, no son fruto de la imaginación caprichosa, ni siquiera de la erudición intelectual. Son fruto amasado con cariño —unas veces lentamente y otras a borbotones— en los largos ratos de oración personal y en los encuentros con los grupos o personas que acompaña. Unas veces inspirados por la inquietud de un allegado, otras al hilo de una pregunta de alguien que vive al otro lado del mar, porque en los caminos del corazón poco importan las distancias. Pero siempre, siempre, nacidos de la «aspiración a ayudar» que le habita.

Los que le vienen leyendo ya conocen su temática. A los que por primera vez se acercan a este autor se lo resumiré en pocas palabras. Tratan de lo divino y de lo humano. Tratan del hombre y de Dios. Un hombre y un Dios fundidos en pleno abrazo de Creador y criatura. Estos textos son pura aspiración a poner cielo en la tierra, un deseo constante de buscar en este mundo todas las huellas y rastros que nos hacen vislumbrar al Otro.

Jairo es un buscador incansable. Cuando en su madurez más brillante la empresa le concedió una excedencia plena, se adentró por caminos nuevos. Desde la apertura fiel a las luces de su ser, ha terminado topándose con la docilidad al Espíritu. Meditando, escuchando, escribiendo, hablando y, sobre todo, orando. Lo que empezó como una inclinación a ayudar, se ha convertido en verdadera vocación y fructífera tarea. En expresión afortunada de un amigo, se ha convertido en «misionero virtual».

Hoy dedica su esfuerzo a predicar un Evangelio vivo. Si hay una frase que le inspira, le atrae y conduce es esta: «He venido para que tengan vida y la tengan abundante» (Jn 10,10). Ese es hoy el motor principal de su obra. A eso dedica sus energías y sus desvelos. En una situación en que la comodidad podría haber marcado la pauta de su vida no ha dudado en seguir caminando con esfuerzo. Trabaja con tesón para sacar a la luz ese verdadero Rostro de Dios que tanto se nos ha desdibujado.

En cada artículo busca con esmero la palabra que mejor defina, la metáfora que mejor inspire, la imagen que más aclare. Revisando cuantas veces sea necesario, buscando con precisión y ajuste, para ser fiel trasmisor de las luces que nacen en su interior y hacer llegar a los hombres y mujeres del mundo moderno, esa palabra intemporal que Dios tiene para cada uno.

No escribe para teorizar, escribe para que los lectores puedan encontrar una pista, una luz, un consuelo o una palabra de ánimo, para que puedan reconocer y soltar los «pesados fardos» que inútilmente han cargado. Otra de sus citas bíblicas preferidas es esta, tan olvidada, del primer Concilio de Jerusalén: «El Espíritu Santo y nosotros hemos decidido no imponeros más cargas que las imprescindibles» (Hch 15,28).

Detrás de cada párrafo de Jairo siempre hay una invitación a cuestionarse, a mirar dentro, a ponerse en pie, a posicionarse ante la propia vida y seguir caminando. Cuestionándose y dejándose cuestionar, va encontrando para él y para otros un camino de liberación, un camino de vuelta al Evangelio. Por eso muchos consideramos que su obra es una pequeña «buena noticia». Por eso a casi nadie deja indiferente.

En este libro encontrarás una selección de «artículos de religión» que son verdaderas meditaciones desde la calle porque es un laico el que medita sin salir del mundanal ruido. Tiempo habrá —dice él— para publicar otros libros sobre familia, pareja o educación. Cada artículo individualmente puede servirte, ayudarte y cuestionarte. Pero hay tres columnas alrededor de las cuales se entretejen el resto de artículos: «El Dios que me habla», avanza tras la búsqueda del rostro de Dios, la pasión dominante de Jairo del Agua; «¿A quién oramos?» describe los errores y aciertos de nuestra habitual oración de petición (detrás late el descubrimiento del Dios verdadero, al que verdaderamente deberíamos orar); «El río de la Palabra» nos introduce en las cuestiones básicas para encontrar la Palabra y convertirla en verdadero alimento.

Tienes en las manos un libro precioso para disfrutar desde lo hondo. Pero, como el propio Jairo advierte muchas veces, si algo te chirría, quizás no es tu momento. No importa. Toma lo que te haga bien, lo que seas capaz de digerir hoy. En el subsuelo de todos estos artículos late el «pasó haciendo en bien» (Hch 10,38)*; algo que Jairo modesta y decididamente pretende imitar.

He escrito más de lo que pensé y noto que ya estoy estorbando. Os dejo con estas meditaciones para leer despacio, paladearlas e integrarlas. Jairo cavó el pozo, a nosotros nos toca aprovecharnos de la frescura y limpieza de su pequeño manantial.

Rosa M. Martínez del Agua

---

* Para las abreviaturas de los libros bíblicos seguimos *La Biblia Ecuménica,* Edelvives, Madrid, 2007.

TODO LO HIZO BIEN

Cuentan que a los novicios de hace años se les ordenaba plantar las lechugas boca abajo para probar su obediencia. Hoy esta anécdota histórica nos hace sonreír. Sin embargo, en la formación religiosa actual, todavía se insiste en consejos estereotipados y fuera de época que se oponen al sentido común.

Ayer mismo —por ejemplo— mi profesora de teología mística, una santa anciana, inteligente, laica, madre de ocho hijos y abuela interminable, insistía en el *olvido de sí mismo* para avanzar por las moradas del castillo interior y llegar a la santidad. Al terminar la clase, me acerqué y le susurré al oído: ¿sabes que la Sicopedagogía actual afirma que la *plenitud consiste en llegar a ser uno mismo*? Me contestó con una evasiva. Lo entiendo, no podemos cambiar la mentalidad de nuestras abuelas. Pero tampoco podemos pretender que los jóvenes —y menos jóvenes— acepten hoy las lechugas invertidas del pasado.

¿Cómo puede uno olvidarse de sí mismo, machacar el yo, anularse, desaparecer? ¿Quién es, entonces, el sujeto de la santificación propuesta? ¿No habrá que *reivindicar con urgencia el yo* —monosílabo maldito— tan maltratado y mal entendido por muchos autores religiosos? ¿No habrá que distinguirlo del «ego», ese fantasma invasor que suplanta y arruina precisamente al yo? ¿Cómo podemos concebir un dios que solo crece a costa de nuestro sufrimiento y la ruina de nuestra personalidad? Comprendo que el lenguaje de algunos santos recoja la influencia de su época y los errores bien intencionados de su ambiente. Sin duda la «sabiduría interior» superó con creces la negatividad circundante.

Es menos comprensible la rígida inercia que hoy nos hace repetir consignas y conceptos, contrarios a la realidad de la vida y a los signos de los tiempos. Si queremos llegar a nuestros coetáneos, tenemos que hablar en positivo. Tenemos, por ejemplo, que ayudar a descubrir el yo, a construir la personalidad, a vitalizar más que a mortificar, a elevar la autoestima, a fortalecer la voluntad, a usar la libertad, a cuidar el cuerpo, etc. Es decir, a *vivir en orden y valorar la vida.*

Seguimos pensando que al Creador le salió una chapuza, a pesar de la Escritura: «creó al hombre a su imagen, a imagen de Dios lo creó» (Gn 1,27). Y subraya: «vio Dios todo lo que había hecho y he aquí que todo estaba muy bien» (Gn 1,31). Sin embargo, insistimos en tener al ser humano bajo sospecha. No caemos en que, al borrar al hombre, borramos la «imagen real» de Dios y levantamos entelequias. El que no encuentra lo admirable de la criatura humana —propio y ajeno— es imposible que la ame. Y el que no ama a la criatura humana —empezando por uno mismo— no puede amar a Dios: «El que no ama a su hermano, al que ve, no puede amar a Dios al que no ve» (Jn 4,20).

Esa certeza me empuja a repetir que necesitamos menos teología y más humanología. *El camino para descubrir a Dios es el descenso al ser del hombre,* ahí donde no llega la contaminación, donde todo es positivo porque el mismísimo Creador lo constituye y dinamiza. Juan de la Cruz lo expresó:

> ¡Oh cristalina fuente
> si en esos tus semblantes plateados
> formases de repente
> los ojos deseados
> que tengo en mis entrañas dibujados!
> (*Cántico espiritual*, v.11).

No podemos seguir pensando que Dios es un alfarero fracasado al que se le quemó su primer cacharro. El Padre, «que tengo en mis entrañas dibujado», todo lo hizo bien. Nos creó con todas las potencialidades para llegar a la plenitud, es decir, a la felicidad. Pero *nos creó a su imagen y, por tanto, libres.* Como Padre amantísimo nos hizo partícipes de sus dones, incluso de su libertad. Esa es nuestra grandeza y también nuestro riesgo: podemos hacer lo que queramos, incluso despeñarnos. Podemos elegir ser hijos pobres de un padre millonario. Lo cuenta con detalle la «parábola del hijo pródigo». Nunca, nunca, reprobó el Creador a su criatura, ni la olvidó, ni la abandonó, ni la castigó. *Somos nosotros los que nos construimos o nos arruinamos* con nuestras opciones. Y, como vivimos en grupo, nuestras decisiones afectan irremediablemente a los otros.

Lo que conduce a la plenitud es la opción por ser uno mismo, por desarrollar todas nuestras potencialidades, por encontrar y desplegar la misión concreta para la que estamos hechos. «La finalidad de la vida es llegar a ser lo que descubrimos que somos en lo más profundo de nosotros mismos»[1]. No tiene nada de egoísta o idolátrico. Del ser —instancia más íntima de la persona— brota precisamente la *apertura a los otros* y la *entrega de uno mismo*. A ser uno mismo y desarrollar nuestra personalidad nos llama el Evangelio («sed perfectos...» —Mt 5,48—) con la utilización de todos nuestros dones; como enseña la parábola de los talentos: «negociad mientras vengo» (Lc 19,13). A conocernos y desplegar nos llama Pablo: «no hemos recibido el espíritu del mundo, sino el Espíritu que viene de Dios, para que conozcamos los dones que Dios gratuitamente nos ha dado» (1Co 2,12).

No hay que temer que un humanismo así se detenga en el hombre. Toda persona es un pozo sin fondo, está abierta a la Transcendencia, late en ella la «imagen y semejanza», la nostalgia de la Madre que la amasó en su corazón. Aunque me aleje de la profundidad, aunque tapone el pozo con mis desastres, no podré evitar la llamada a ser más y mejor, la dulce voz de paz y seguridad. Me emociona, cada vez que lo recuerdo, aquel verso de un agnóstico confeso: «Dios oscuro ven, no hace falta que digas nada...».

Si queremos ser coherentes, hay que desterrar de nuestra Iglesia el lenguaje trasnochado, clerical y absurdo, que patentiza la desconfianza en la obra de Dios. No podemos seguir repitiendo benevolentes consignas raídas por la rutina. Ni abusar de grandilocuencias, florilegios, abstracciones y principios de autoridad. Nos engañamos al evadirnos de la realidad y evocar

---

[1] «La finalidad de la vida», nota de observaciones del Curso de PRH: *Personalidad y Relaciones Humanas:* «Conducir mi vida».

«un dios» teóricamente bueno pero inaccesible, abstracto, exigente, mortificante, ausente y silente. He aquí una de las graves dificultades de nuestra Iglesia para llegar al pragmático hombre de hoy.

Deberíamos volver menos la cabeza y atrevernos a mirar dentro y al frente. Atrevernos a soñar con una Iglesia —pueblo caminante— en la que *prioricemos la construcción y reparación del ser humano* concreto, real y actual. En la que comencemos recuperando la fe en el hombre, hechura de Dios. Realmente «somos pordioseros dormidos sobre riquezas inconmensurables, desvanecidos sobre un manantial de energía, paralizados sobre una corriente de vida»[2]. Una Iglesia con menos andamio intelectual para subir al cielo —como en Babel— y más bocamina para, por fin, *descender humildemente a las entrañas de la persona y recuperar el rostro de Dios*, esa «imagen» que Él nos grabó al engendrarnos. No repitamos el error de Agustín:

Tarde te amé,
hermosura tan antigua y tan nueva.
Tarde te amé.
Y es que Tú estabas dentro de mí y yo fuera
y por fuera te buscaba.

Atrevernos a soñar, sí, con el día en que los eclesiásticos —verdaderos testigos despojados de toda relación de poder— ayuden

---

[2] ANDRÉ ROCHAIS: sacerdote católico francés, sicopedagogo y fundador del organismo de formación PRH, Personalidad y Relaciones Humanas (www.prh-iberica.com).

a sus hermanos a descubrir al Hijo del Hombre, al Humano, con el «mapa de humanidad» —su buena noticia— en las manos. Podríamos llegar, sin duda, a confesarnos unos a otros, como sus vecinos a la samaritana: «No creemos ya por lo que tú nos has dicho; nosotros mismos lo hemos oído y estamos convencidos de que este es ciertamente el Salvador del mundo» (Jn 4,42).

¡ES TIEMPO DE ESCUCHA!

En tiempos de oscuridad siempre nacen estrellas que iluminan y orientan. Ha habido épocas de mártires, de fundadores monacales, de predicadores, de teólogos, de misioneros, de místicos, de formadores, de solidarios ayudadores, etc. Así se ha ido tejiendo la historia de esta Iglesia nuestra hasta conseguir un brocado de sublime belleza y variedad. Véase, si no, la multicolor pluralidad de instituciones, movimientos y grupos integrados en el mosaico eclesial.

La jerarquía de clérigos —los laicos no hemos llegado todavía a la mayoría de edad— se las ve y se las desea para aglutinar tanta diversidad en tiempos en los que la autoridad está en crisis, mientras la libertad y el individualismo se reivindican como valores irrenunciables. Hace, por tanto, muy bien nuestra jerarquía en hablar para todos. Es su deber y es su derecho. Aunque los políticos y sus redactores quieran silenciarlos cuando denuncian partidistas decisiones antinaturales y degradantes.

Con todo, lo que debiera caracterizar la aurora del siglo XXI es *la escucha*. Ya no valen las viejas formas autoritarias, ni los temores opresores, ni la conciencia oficial, ni los nocivos servilismos, ni las manipulaciones piadosas. Los católicos —sin dejar de ser católicos— estamos descubriendo la autenticidad, la libertad y la conciencia individual. Es más, estamos descubriendo la liberación que trae la Buena Noticia (2Co 3,17). Caminamos hacia la madurez humana y religiosa. Desde distintas praderas se oye gritar: ¡No a la religión que aplasta, que aliena, que tergiversa o suple la responsabilidad y libertad personal! ¡Sí a la religión que ensancha, que moviliza, que promueve, que ilumina los dones individuales, la responsabilidad personal y la conciencia profunda! A partir de ahí el respeto y eficacia grupal vendrán por añadidura.

Si observamos esta diversidad eclesial y el proceso de concienciación personal, deduciremos que nuestros responsables tienen ante sí un puzle difícil de encajar y mantener. No valen ya las trampas infantiles de colocar solo las piezas del tamaño y color preferidos. Eso va contra el Evangelio. Las negras, las escurridizas, las ocultas, las perdidas, debieran ser piezas buscadas y preferidas (Lc 15,1). Sin embargo, se cae frecuentemente en la tentación de quedarse con los grupos fáciles y arrinconar las piezas individuales, a pesar de que estas constituyen la mayoría. Los que solo somos católicos podemos vernos obligados a caminar por la cuneta. Un amigo me contaba hace poco la sorpresa de quienes, al preguntarle a qué grupo pertenecía, le oyeron contestar: «yo solo pertenezco a la Iglesia católica y a mi mujer».

Ante tales dificultades, muchos responsables eclesiásticos se duelen y desasosiegan. Olvidan algo esencial: las piezas de este rompecabezas hablan, emiten señales sobre el lugar exacto en que encajan. Habitualmente son nuestros pastores los que hablan. Por eso no han aprendido, podido o querido escuchar.

Complacidos en el manso mar de lana, han olvidado escuchar las aspiraciones, necesidades y heridas de sus ovejas. Está escrito: «el buen pastor conoce a sus ovejas» (Jn 10,14). Pero *no puede haber conocimiento sin previa, atenta y profunda escucha*.

Por tanto es urgente promover y priorizar la escucha. Los teólogos tendrán que bajar de sus elucubraciones para escuchar y dar respuesta a la vida que late en los individuos y en los grupos. Los maestros tendrán que distanciarse de las teorías para escuchar y enseñar a dar pasos concretos. Los presbíteros en general (tantas veces restringidos a «los suyos», a la defensiva, apartados para no contaminarse, demasiado ocupados o instalados en el pedestal de la «casta sacerdotal») tendrán que aprender a «liberarse» ellos mismos para poder después liberar la vida que puja en el fondo de cada ser humano.

Hemos acumulado tanto saber y doctrina en nuestra Iglesia, tenemos tantas cosas que administrar y defender, que olvidamos el objetivo de la venida de Cristo y la misión eclesial: «He venido para que tengan vida y la tengan abundante» (Jn 10,10). Y, por favor, que no nos confundan los profesionales de la abstracción, el retorcimiento y las etéreas interpretaciones. Se trata de la vida humana, la de aquí abajo, la interior y la exterior, la de todos los días. Solo cultivando la vida humana en cada persona se podrá decir que se nos está salvando y preparando para la vida futura.

No me resisto a citar algunos *medios de escucha*, contrastados y sencillos, para empezar:

— La utilización de buzones de sugerencias (físicos o virtuales) en todas las parroquias e instituciones.
— Las encuestas a los fieles.

— Los balances de grupo como medio respetuoso de pulsar lo que va, lo que no va y los deseos de cada miembro de un grupo.

— La formación experiencial de los sacerdotes en Sicopedagogía del Crecimiento y, específicamente, en la Relación de Ayuda.

En esta necesaria implantación de la escucha es imprescindible un postulado previo: *que nadie se apropie del Espíritu Santo*, ni los de arriba ni los de abajo, porque el Espíritu se manifiesta en lo profundo de todo corazón sincero. Solo escuchando el latido de lo mejor de cada persona podremos vislumbrar la luz multicolor del Espíritu, «que sopla donde quiere..., no sabes de dónde viene ni adónde va» (Jn 3,8). Y, puestos a escuchar, prestemos especial atención a las voces sencillas: «porque has escondido estas cosas a los sabios y entendidos, y se las has manifestado a los sencillos» (Mt 11,25). Así podrá brotar una corriente continua de escucha atenta, respetuosa y recíproca, como si de una mutua transfusión de vida se tratara. ¿No será esa la comunión de los santos?

Lo sé. Termino una exposición pobre, ignorante y apasionadamente laical. Pero he cumplido el mandato de la voz: «¡Es tiempo de escucha! ¡Escríbelo!». Ahora «el que tenga oídos para oír que oiga».

SUEÑO DE VERANO

Soñé que nuestra santa Iglesia era una inmensa y preciosa parcela. Sobre ella muchísimas personas y grupos se afanaban por encontrar el *agua que mana hasta la vida eterna*. Unos medían, otros proyectaban, otros dirigían, algunos excavaban. Había quienes teorizaban sobre la naturaleza del agua o la tierra a perforar. Todos iban y venían, se agitaban, discutían, competían por el lugar exacto del manantial verdadero.

Pero... *todos pasaban sed*, todos estaban insatisfechos. Algunos, más avanzados y pudientes, se habían procurado unas enormes máquinas. Con ellas —decían— seremos más eficientes y alcanzaremos el agua sin tardar. De pronto se oyó un silencio imponente. Y una voz suave se expandió como un perfume:

«Buscáis, os esforzáis, pero no encontráis porque habéis desorientado la búsqueda. "El reino de los cielos está dentro de vosotros" (Lc 17,21). Es dentro de vosotros donde mana el agua. ¿No lo recordáis? "El agua que yo le daré será, dentro de él, manantial que salta hasta la vida eterna" (Jn 4,14). Si cada uno venciese su miedo a la oscuridad interior y aguijase su manantial, no pasaríais sed. Si cada uno se atreviera a dejarse brotar, os empaparíais unos a otros, os refrescaríais, os fortaleceríais. Los católicos de hoy juzgáis mucho pero *os abrazáis poco, os comunicáis poco y os mostráis aún menos*. Sin embargo, la luz se os ha dado para ponerla sobre el candelero y el agua para regeneraros mutuamente».

Me desperté y me inundó aquella frase: «Una sola cosa es necesaria» (Lc 10,42). No he logrado olvidar ni el sueño ni el despertar.

¡QUE ME BESE CON BESOS DE SU BOCA!

Este podría ser el título de un artículo largo. Pero me ha entrado la impaciencia. Le estoy cogiendo gusto a esto de las confidencias cortas. Normalmente os cocino a fuego lento —lo mejor que sé— manjares bien elegidos. Pero hoy he empezado el día leyendo el Cantar de los Cantares y ¡puf!...

«¡Que me bese con besos de su boca!» (Cnt 1,2). No puedo reprimir mis sensaciones más inmediatas e íntimas. Este predicador de papel tiene la secreta pasión de buscar y publicar el luminoso rostro del Dios que va rastreando.

> Es mi Amado como un gamo,
> es mi Amado un cervatillo.
> Mirad: se ha parado detrás de la tapia,
> atisba por las ventanas,
> mira por las celosías. (Cnt 2,9)

Está ahí, en la sombreada fronda de la Escritura, encubierto por el follaje de otros «falsos rostros» que hay que dejar atrás. No hay más que buscar con el alma abierta y la conciencia alerta.

¡Ah, llévame contigo, sí, corriendo,
a tu alcoba condúceme, Rey mío:
a celebrar contigo nuestra fiesta
y alabar tus amores más que el vino!
¡Con razón de Ti se enamoran! (Cnt 1,4)

¿Es este el Dios a quien oramos, el que reflejamos a los otros? Me temo que no. Porque si fuera así, se enamorarían de Él de inmediato. Pero hay otro fallo: los que lo han encontrado, ¿lo comparten? Frecuentemente nos avergonzamos y lo guardamos para nosotros en lo más secreto. Es ese «pudor espiritual» que nos vendieron como humildad.

Por eso me sale de dentro mi rebeldía y me lanzo a renovar mi promesa de transmitir una *religión humanizadora, positiva, luminosa y alegre.* ¿Qué otra religión existe?

Cómo no alegrarse y saltar de gozo cuando descubres un Dios al que le puedes decir:

Ponme la mano izquierda bajo la cabeza
y abrázame con la derecha. (Cnt 2,6)

Y oír su respuesta:

¡Levántate, amada mía,
hermosa mía, vean a Mí! (Cnt 2,10)

¡Permisito! Oigo la voz del «pastor de azucenas» que me busca y me llama...

Encontré al Amor de mi alma,
lo agarré y ya no lo soltaré. (Cnt 3,4)

ORAR PINTANDO

Era una tarde de vacaciones. Todavía me rumbaban los ruidos de la oficina, las tensiones de los objetivos, el reloj y el tráfico. El frescor sombreado invitaba a la quietud y al descanso. Me rondaba cierta culpabilidad por el tiempo dedicado a lo urgente en detrimento de lo importante. Fui al cuarto de los chicos, me dejé escoger por una cartulina azul noche. Miré entre las pinturas y me atrajeron unas arrinconadas pinturas pastel.

Yo no sé pintar, pero necesitaba expresar mis sensaciones interiores. La soledad de la casa era momento propicio. Todavía me sentía acosado por el ruido de mi vida: tanto autobús, tantos papeles, tantas reuniones, tanto ordenador, tanto bullicio... Tenía hambre de ese Ser que mana en mi interior y ante el que me sentía en adoración agradecida.

Comencé a trazar una especie de S al revés, una sola línea curva: mi ser de rodillas, con la cabeza profundamente inclinada. Me sorprendí disfrutando al elevar el volumen de mi mundo interior, al darle forma visible, al tocarlo con mis dedos mientras difuminaba el pastel. Era como acariciar mi sensación, como involucrar mi cuerpo en la expresión de algo intangible y espiritual. Disfruté trazando más y más curvas multicolores hechas de una simple línea adorante. Disfruté recogiendo el polvillo caído y volviendo a colorear mi rudimentaria obra. Parecía resonar en mi interior: ¡que nada se pierda, no desprecies nada de ti, plásmalo en tu vida!

Terminada la lámina, me pregunté: *¿Qué dice de mí esta pintura?* Cogí una hoja y empecé a escribir:

Me habla de mi aspiración al colorido y a la alegría. Me habla de mis formas suaves, blandas, redondeadas y abiertas. Me dice de mi amor, delicadeza y acogida a los otros; de mi predilección por las personas, de mi poner el corazón en el suelo para que los demás pisen blando.

Me canta mi docilidad al Absoluto, a mi Dios y Padre, al que siento dentro y fuera de mí. Me habla de la rendición de mi «yo cerebral» a la primera realidad de mi ser (Dios mismo) y, desde ahí, a las demás realidades que me conforman.

Me alerta de la humildad imprescindible para dejarme ver. Es una invitación a dar, sencillamente, lo que pueda y como pueda, sin dejar que me tensionen mis perfeccionistas deseos o proyectos. Me habla de la Luz que me envuelve, me trasciende y me constituye, pero que tan pobremente expreso.

Me siento llamado a no culpabilizarme, a aceptarme en mi pobreza, a seguir siendo humildemente dócil a lo que se expande desde mi interior, aunque apenas logre reproducir con mis actos un garabato. Siento como mis trazos multicolores me hablan del dinamismo que me empuja a salirme de la lámina, de la fuerza centrífuga que me abre, de la fuerza centrípeta que me densifica y afirma.

Me quedé mirando mi pinturica largo tiempo. Me dejé empapar de aquellas sensaciones que me autoafirmaban, precisamente cuando me sentía de rodillas. Un suave remolino me absorbió aún más dentro de mí. Allí seguía viva la sensación de adoración. Sentí necesidad de abrazarla y dejarme impregnar. Seguí escribiendo mientras contemplaba la lámina:

La *sensación de adoración* me mantiene anclado en mi ser, inunda todo mi cuerpo desde dentro. Se nombra también como admiración. *Admiración* ante ese Infinito que me habita y ante el que me extasío, aunque no le comprendo, no le abarco, no le puedo explicar. Es una realidad honda, profunda, dulce, ante la que mi cabeza no puede más que rendirse, quedar humildemente postrada.

Me siento constituido por un sinfín de colores y luces. No los puedo tocar, no puedo razonarlos, no sé de dónde salen. Pero noto que me habitan, que me constituyen, que me dan vida. *Siento que no soy yo el origen*, que mi paz, mi amor, mi entrega, mi dulzura, mi cercanía, mi transparencia, mi fuerza, son pequeñas briznas del que intuyo.

Mis aspiraciones son inagotables, inmensas, universales, eternas. Me superan. Aspiro a la Bondad toda, a la Cercanía toda, a la Dulzura toda, al Amor todo, a la Luz toda, al Equilibrio todo, a la Belleza toda, a la Gratuidad toda, a la Entrega toda. Me recojo, me inclino, me dejo habitar, me dejo llenar, me dejo vitalizar, me dejo dócilmente traspasar por ese fuego que me inunda suavemente y me alimenta de luz:

«Yo te adoro, Padre, porque te has sembrado en mí, porque brotas dentro de mí, porque me constituyes y me expandes. ¡Te adoro, Padre! Tú eres mi fuente, mi vida y mi felicidad. Estoy hecho de Ti».

Me quedé embebido repitiendo: «Estoy hecho de Ti, estoy hecho de Ti, estoy hecho de Ti...».

Y sentí un eco interior que repetía: «Estás hecho de Mí... Estás hecho de Mí... Estás hecho de Mí...».

Desde entonces ese eco me levanta, me fortalece, me pacifica y me acompaña. Alabado sea el Señor.

PECAR EN VERANO
(de normas y pecados)

Caminábamos con gozo y esfuerzo por los montes cán-
tabros. Durante un tiempo avanzamos, como césares, bajo un
interminable arco verde de árboles frondosos. Nos refrescaban
e impedían que nos tocase un solo alfiler del sol. Cuando llegamos a los acantilados unas empalizadas acotaban el camino.
Mi hijo me preguntó:

—¿Aquel triángulo vallado en medio de la maleza qué
significa papá?
—Probablemente es un pozo o la boca de una sima,
le respondí. Estas vallas laterales y aquella triangular nos
avisan de un peligro.
Son como los preceptos morales, cuyos finos trazos
sobre el papel no impiden que podamos quebrantarlos,
pero nos están advirtiendo de peligros concretos. *Pecar
no es saltarse la norma,* pecar es «causarte daño o cau-
sárselo a los demás; ponerte en peligro a ti mismo o a
otros». A veces no es fácil renunciar al peligro. Ahora
mismo nuestra curiosidad podría hacernos saltar estas
sencillas maderas para ver mejor el acantilado, pero con

peligro evidente de caernos por él. Por eso quien pone las empalizadas y las normas nos hace un favor. De sabios es respetarlas.

—¿Pero, papá, pecar no es ofender a Dios?

—Yo creo, hijo mío, que *pecar es ofender al hombre* a quien Él ama. Ningún ser humano es capaz de ofender a Dios porque no le puede alcanzar. Nosotros no nos ofenderíamos si una gaviota nos sacase la lengua. ¿Te lo imaginas? Nos reiríamos con ganas.

La «ofensa a Dios» tiene su origen en sociedades poco humanizadas en las que el temor al Ser Supremo motivaba la conducta y frenaba los atropellos a las personas. Para los cristianos *la motivación debería ser el amor a nosotros mismos y a los otros.* Esa es la concreción del amor a Dios. De ahí nacerá no solo el respeto a las normas (evitar el peligro) sino la solidaridad (ayudar a quien cayó en el daño). Esa es la síntesis de nuestra moral. Lo decía san Pablo: «No debáis nada a nadie; amaos unos a otros, pues el que ama al prójimo ha cumplido la ley..., todo se reduce a esto: Amarás a tu prójimo como a ti mismo. El que ama no hace daño al prójimo; así que la plenitud de la ley es el amor» (Ro 13,8). Lo dice el Evangelio: «Cuanto hicisteis con uno de estos mis hermanos pequeños conmigo lo hicisteis» (Mt 25,40).

—¿Entonces, los deberes para con Dios?

—Veamos, hijo mío: ¿Tendrá un niño pequeño obligaciones para con la madre que le alimenta y le cuida? Lo que quiere la madre es que el niño crezca, se desarrolle y sea un adulto feliz. Exactamente lo mismo que quiere Dios para cada uno de nosotros: «He venido para que tengan vida y la tengan abundante» (Jn 10,10). Dios no es un ser abstracto o un frío concepto. Es la Vida que, desde dentro de nosotros mismos, nos impulsa a ser más y mejores. Es el Amor que nos está creando y proyectando hacia la plenitud para que seamos nosotros mismos, plenamente humanos. *Prescindir de Dios a quien realmente perjudica es al propio hombre*, lo mismo que a una planta le perjudica carecer de luz.

En la catequesis debería explicarse, por ejemplo, que la «obligación» de ir a Misa no es un deber para con Dios, sino una mínima condición de supervivencia para el individuo, necesitado de alimentar su vida interior. Porque —querámoslo o no, sepámoslo o no— Dios es el reactor nuclear de nuestra vida, la energía que nos empuja hacia la plenitud. Negarse a recibir esa energía es optar por la debilidad o la muerte. *El Padre no llora por su honor olvidado sino por nuestro daño*, lo mismo que una madre llora desconcertada ante el hijo que rechaza el alimento. Tal vez solo una madre, que ha perdido un hijo, sea capaz de intuir lo que Dios «siente» cuando nos despeñamos.

Lo he visto claro cuando mi amigo Juan me contó su último problema: un desliz de su hija con el novio y... embarazo al canto. Mi amigo estaba triste, dolorido, abatido. Quise animarle y le dije: un error lo tiene cualquiera; hoy la sociedad comprende mejor estas cosas, nadie le va a poner etiquetas; además, el que esté sin pecado que tire la primera piedra...

No, si no me importa el que dirán, respondió. Ni siquiera me importa que mi hija haya olvidado los principios que con tanto amor le hemos enseñado. Lo que realmente me importa es ella, la prematura carga que ha echado sobre sus hombros. Conseguir la autonomía personal y económica ya es suficientemente difícil en el mundo en que vivimos, con la responsabilidad sobrevenida de un hijo le va a ser más duro. Lo que me duele realmente es el dolor de mi hija, sus dificultades futuras. Y me duele, además, el quebranto de los derechos del hijo. Este niño tiene derecho a una seguridad material, a una seguridad afectiva y a unos padres suficientemente adultos. Me temo que todo eso no lo tendrá completo.

Fue entonces cuando se me encendió la luz. A mi amigo Juan le pasaba lo que al Padre del hijo pródigo. No hay reproches, no hay juicios, no hay recortes de libertad, no hay rígidas normas que cumplir para recibir la herencia. Solo hay dolor por la ausencia, dolor por el perjuicio que el hijo se causa a sí mismo, dolor por el dolor del hijo. No se siente ofendido, ni acumula correcciones, venganzas o castigos. El pecado ya trae su penitencia. Sufre con el que sufre y complica su propia vida. Se duele por el hijo millonario que malvive como un mendigo. Y espera, siempre espera, abiertos los brazos y horneados los besos.

Mientras pecamos y nos sentimos culpables por haberle ofendido, he aquí que *el Padre solo se preocupa del rasguño o el desgarro por el que se nos infecta la vida*. Mientras repasamos las cuadrículas morales que hemos roto, el Padre busca los agujeros abiertos —en nuestra vida o en la vida del otro— para detener la hemorragia apretando con su abrazo. Mientras nos empeñamos en pasar hambre y arrastrar la vida, nuestro Padre Dios siempre nos espera con nueva vida y la mesa puesta. Mientras nos apuñamos el pecho por la ofensa proferida, Él se inclina y nos pregunta solícito: ¿Hijo mío, te has hecho daño?

EL DIOS QUE ME HABLA

BUSCAD MI ROSTRO

Tendría aquella preciosa niña unos seis años. En apenas unos segundos saltó la valla, tropezó y rodó por el parterre inclinado del parque hasta un grueso pino. Su mamá, aterrada, corrió hasta ella, la levantó, la examinó, la consoló y secó sus lágrimas. Fue después cuando la oí decir: «¿Lo ves? ¡Dios te ha castigado por desobediente!».

Me acerqué y le comenté con una sonrisa: «¡No mujer, no! *Dios no castiga,* somos nosotros los que cometemos imprudencias, errores, malas decisiones. Y, naturalmente, sufrimos las consecuencias. Él actúa como tú has actuado: socorre, abraza y consuela cuando, por nuestra estupidez, nos herimos».

Le conté esta historia a mi amiga Oliva, una viejita risueña y amable de mi parroquia, cuya piedad siempre me admira. Me respondió con esa serenidad que ella derrocha:

—Es un ejemplo más de los «falsos dioses» que todavía anidan en el consciente o subconsciente de muchos cristianos. Caretas, caricaturas, rostros deformes, con los que retorcemos o negamos el verdadero rostro del Padre.

—¿Tú tampoco crees en los «castigos de Dios», Oliva?

—¡Desde luego que no! El «dios castigador y vengativo» no es el revelado por Cristo. *Las consecuencias de nuestros actos son cosa nuestra* porque el privilegio de la libertad individual nos hace responsables de ellos. El sol no puede castigarnos con la oscuridad. El sol, por su naturaleza, siempre brilla. Es nuestra decisión de vivir en la caverna lo que nos convierte en alimañas.

—¡Me gusta tu metáfora! *La Luz solo puede irradiar luz, como el Amor solo puede dar amor.* Negarlo sería una contradicción metafísica, un imposible.

—Ciertamente, Jairo. Por eso *el infierno no puede ser una creación divina,* como algunos creen todavía. El infierno es la «negación del bien» decidida por la libertad del hombre. Estamos creados para ser felices siendo y practicando el bien. Cuando nos alejamos de ese objetivo, nos hundimos en la infelicidad. Cuanto más lejos, más sufrimiento. Dios no castiga, Dios llama. Recuerda: «Pues Dios no envió a su Hijo al mundo para condenar al mundo, sino para que el mundo se salve por Él» (Jn 3,17). Ese versículo y los siguientes son maravillosos.

—Hay quien afirma que el infierno y el purgatorio comienzan en esta vida.

—Así lo creo yo. *El sufrimiento progresa a medida que te alejas de la profundidad de tu ser,* que es un tesoro repleto de dones o de valores, como decís ahora. Así nos han creado, aunque haya quien lo niegue o ignore. Unos se dan cuenta a tiempo de que distanciarse de ese «centro de la persona» les hace sufrir y comienzan a buscar en su interior (la búsqueda del «reino de Dios»). Otros se aferran al exterior como a un flotador. Solo buscan las pequeñas felicidades (comida, sexo, lujo, acción, prestigio, imagen, ciencia, poder, etc.) y se van hundiendo en un vacío vital. Tardan en descubrirlo porque huyen de sí mismos.

A pesar de todo el ser emite señales, alertas, llamadas, que la persona puede oír o desoír. Bien podemos llamarlas «la voz de la Madre Dios». A veces un accidente, un infortunio, una enfermedad... provoca que la persona se dé cuenta de su libertad errada. Algunos persisten en su error hasta la muerte. Tendrán que rectificar después y hacer una dolorosa rehabilitación: «Allí será el llanto y el rechinar de dientes» (Lc 13,28).

—¿Esa rehabilitación es el infierno?

—Así lo veo yo. Puede que esa rehabilitación —digamos «temporal» para entendernos— sea más dura que las llamas y demonios de nuestra imaginación mítica.

—¿Y esa interpretación tuya del infierno te asusta o no?

—Mira Jairo, me asustaría muchísimo si no hubiera hecho de mi vida un camino de progreso y permanente rectificación. Sería horroroso que, después del último sueño, me encontrase con que tengo que empezar a humanizarme de nuevo.

—Pues hay muchísima gente que piensa «salvarse» de las llamas del infierno tradicional a base de ritos y agua bendita.

—Me parece una visión miope e infantil. Salvarse es humanizarse, aprender a ser persona, asignatura para toda la vida. Y no es posible ser persona completa si no has descubierto la Transcendencia dentro de ti. *Todos,* absolutamente todos, estamos construidos con apertura al Infinito, al mismísimo Dios. Él late en nuestro fondo. Como esos chalets de película, construidos sobre el mar, en cuyo bajo tienen su mar particular, su salada piscina turquesa. Quien descubre esto y se deja inundar está salvado. Es «el reino» de que habla el Evangelio, la misma vida de Dios que pugna por crecer en nosotros y hacernos felices. El obstáculo siempre es el mismo: la libertad, ese poder que Dios nos ha dado de decir sí o no.

—O sea, que tú ni temes ni crees en castigos.

—Temo de otra forma. En mi niñez y juventud me aterrorizaba el infierno y el purgatorio. *Hoy lo que temo son mis malas decisiones,* el mal uso del don de la libertad. El infierno como castigo no existe; existe la autoexclusión, el destierro voluntario, la negación del ser humano que soy. El infierno no existe como no existe la oscuridad. Llamamos oscuridad a la ausencia de luz e infierno a la ausencia de bien, de amor, de humanidad. En el Evangelio se habla de «tinieblas exteriores» (Mt 22,13 y más), el lugar de la huida de nosotros mismos. Y, fíjate, es imposible caer en esas tinieblas cuando estamos anclados en la luz interior, es decir, en Dios mismo que nos habita y acompaña siempre, siempre...

Por eso *no creo en el infierno eterno,* siempre cabe el retorno. Si el infierno es la consecuencia de nuestra mala elección, siempre cabe rectificar. Ocurre sin embargo —lo podemos observar en esta vida— que cuanto más empecinado estás en un error más cuesta salir de él. Por eso necesitamos rectificar raudo, retomar el camino constantemente.

El Dios que a mí me habla, *el decidido buscador de la oveja perdida, no fracasará.* No sé cómo pero triunfará. Esta certeza no me induce a relajarme. Todo lo contrario. Me empuja a dejarme encontrar, abrazar y cuidar por ese dulce Pastor que, «aunque mi madre me olvidara, Él no me olvidaría» (Is 49,15).

—Explicado así, parece fácil y bonito. ¡Basta con administrar sabiamente la libertad!

—Sí, pero la oscuridad ambiente y nuestra propia oscuridad nos hacen cometer errores de elección. Nadie nos enseñó a discernir desde la conciencia profunda, desde la sabiduría interior. Se enseñan normas, cuadrículas, leyes. Si no comprendemos la utilidad de esos indicadores, desconfiaremos de ellos y terminaremos olvidándolos. Si a eso añadimos tantas falsificaciones del rostro de Dios como circulan por ahí, aún entre nuestra gente, es comprensible que haya muchos que le rechacen, le abandonen, le ignoren o pretendan utilizarlo.

En el rincón de la iglesia, donde cuchicheábamos, mi anciana amiga me tomó la mano, la apretó entre las suyas y me invitó a repetir:

Mi Dios **Amor**	Abrázame y abre mis brazos.
Mi Dios **Bondad**	Empújame al bien.
Mi Dios **Entrega**	Envíame.
Mi Dios **Felicidad**	Atráeme.
Mi Dios **Hermosura**	Imprégname.

Mi Dios **Luz**	Enciéndeme.
Mi Dios **Paz**	Sosiégame.
Mi Dios **Ternura**	Suavízame.
Mi Dios **Torrente**	Inúndame.
Mi Dios **Poder**	Enséñame a confiar en mi poder recibido.
Para que **Tú seas**	cada vez más en mí. Amén

Estas «invocaciones desde lo hondo», como ella las llamó, se me antojan un glorioso repicar de campanas, una gozosa contemplación, un auténtico oasis en nuestro polvoriento camino de vuelta al Padre. Me adhiero sin dudarlo a este Dios Amante e Inmenso.

¿A quién adoras y qué infierno temes?

Me dices que te ha hecho mucho bien conocer mi conversación con Oliva, que coincide con tus intuiciones. ¡Gracias por decírmelo! Eso refuerza mis certezas. Me envías además un texto papal[3] que ratifica mi afirmación: «el infierno no es castigo sino autoexclusión». Pero... sigue considerando que esa actitud del hombre lleva consigo «el rechazo definitivo de Dios».

No puedo estar de acuerdo con lo segundo, dígalo quien lo diga. Palabras de ayer no pueden derribar certezas interiores de hoy. *Dios no puede rechazar porque su esencia es Amor.* Solo puede atraer, nunca rechazar. La interpretación del castigo y

---

[3] «El infierno como rechazo definitivo de Dios» (Audiencia general del miércoles 28 julio 1999, Juan Pablo II).

del infierno dependerá siempre del rostro de Dios que hayas descubierto. Puntualizaré algunas reflexiones, que explicitan mis certezas, por si te ayudan.

Usamos irremediablemente un lenguaje humano (castigo definitivo, infinito, eterno, etc.). Son *expresiones pedagógicas* que advierten de la gravedad y desdicha de abandonar el camino de la felicidad (Dios mismo). Puede que esa humana pedagogía del horror y pavor haya dado frutos positivos. Pero también ha servido y está sirviendo al falseamiento del rostro de Dios.

El Dios que a mí me habla —diría Oliva— utiliza la *divina pedagogía del amor*: siempre llama y espera con infinita paciencia. La actitud de Dios no puede ser una aquí y otra en el más allá. Mamá seguirá clamando «con gritos inenarrables» (Ro 8,26) hasta que recoja a todos sus polluelos. Lo cuenta la parábola del hijo pródigo (Lc 15,11), lo afirma Pablo: «Si nosotros no le somos fieles, Él seguirá siendo fiel, pues no puede negarse a sí mismo» (2Ti 2,13).

La interpretación del infierno no puede quedar al margen del rostro de Dios revelado por Cristo. La Escritura tiene que ser coherente o no es Palabra de Dios[4]. La condenación «eterna» es incompatible con un Dios-Amor-Padre. Es expresamente contraria a la parábola de la oveja perdida: «De la misma manera vuestro Padre celestial no quiere que se pierda ni uno solo de esos pequeñuelos» (Mt 18,14). ¿Cómo imaginar siquiera que quien nos enseñó el amor a los enemigos pueda sentenciar a sus enemigos al rechazo eterno? «Amad a vuestros enemigos...

---

[4] Lo explico brevemente en mi artículo «El río de la Palabra».

porque Él es bondadoso con los malos y desagradecidos. Sed generosos como vuestro Padre es generoso» (Lc 6,35).

El otro día, en una charla, le rogué a una madre de familia numerosa que eligiera cuál de sus hijos habría de condenarse. Estadísticamente —le dije— y tal como está el mundo alguno será infiel... Por mucho que la fui acorralando no hubo manera de moverla del «todos mis hijos se salvarán». La conclusión está escrita: «Si vosotros, que sois malos, sabéis dar cosas buenas a vuestros hijos, cuanto más vuestro Padre celestial...» (Mt 7,11).

Es totalmente incongruente que a un Padre Todopoderoso se le escape alguna de sus criaturas, creadas por amor para la felicidad. Seguimos pensando, con nuestra limitadísima inteligencia humana, que Dios es un alfarero al que le pueden salir chamuscados o rotos sus cacharros. Dios todo lo hace bien[5]. Respeta nuestra libertad, cierto, pero ¿quién crees que ganará el pulso, su llamada o nuestra ceguera?

La imperfecta, condicionada y voluble libertad del ser humano nunca podrá merecer un rechazo eterno. Sería una respuesta desproporcionada, es decir, injusta. ¿Cómo hemos podido imaginar siquiera que un ser finito, por sus errores finitos, pueda caer en un «rechazo infinito», sin retorno? Es totalmente incoherente pensar que de actos limitados, de un ser limitado, se puedan seguir consecuencias ilimitadas, expresamente queridas o permitidas por un Dios infinitamente justo.

La eternidad del infierno es simbólica. Se refiere a la distancia entre el mal (ausencia de Dios o infierno) y el bien (Dios mismo). Esa distancia es insalvable, eterna, definitiva, porque

40

---

[5] Lo expreso más ampliamente en el artículo «Todo lo hizo bien».

se trata de conceptos opuestos, como lo son la luz y la oscuridad. Otra cosa muy distinta es que a una criatura de Dios se le pueda encasillar en la categoría de «absolutamente opuesto a Dios». Es imposible. Dios y su criatura pertenecen a categorías distintas, a planos distintos. Los hombres podemos perdernos, alejarnos, equivocarnos, pero nunca oponernos esencialmente a un Dios al que apenas intuimos y que habita en nuestro núcleo, aunque no hayamos acertado a encontrarle. Por eso *Él siempre seguirá llamando* y, con toda seguridad, su llamada nos podrá.

Las religiones orientales creen en la reencarnación sucesiva hasta conseguir la rectificación e iluminación. Así, el rico Epulón se reencarnaría en otro Lázaro hasta adquirir misericordia. O el juez injusto se reencarnaría en viuda necesitada hasta crecer en justicia. En el fondo, es la misma intuición que la de nuestro purgatorio o infierno: si no consigues tu humanización plena en esta vida, tendrás que trabajártela en la otra. Cuanto más bajo caigas, más tiempo y esfuerzo tendrás que sufrir en la otra para humanizarte.

No creo en la reencarnación circular, por supuesto. Pero tampoco creo en los castigos divinos. Dios no castiga. Creo en el camino de humanización presente (revelado en el Evangelio) y en la dolorosa rehabilitación futura. Sin volver al Padre es imposible aposentarse en su casa. O caminamos ligeritos ahora o tendremos que caminar después, con más esfuerzo y dolor, al darnos cuenta de la oportunidad perdida y de la felicidad retrasada por nuestra estupidez. Cuando los que neciamente llamamos «condenados» (¡qué floja tenemos la mano de condenar!) descubran —libres de esta cegadora materialidad— el camino de regreso, gritarán con gran desgarro, dolor y llanto como Agustín: «¡Tarde te amé Hermosura tan antigua y tan nueva, tarde te amé!». Desde luego, yo prefiero gritarlo ya y dejarme cautivar por la Hermosura cuanto antes.

Respecto al Magisterio actual (destaco lo de actual), con el que puede chocar alguna de mis certezas, hay que empezar diciendo que no todo tiene el mismo rango. No es lo mismo, por ejemplo, una definición dogmática que una interpretación bíblica o una orientación pedagógica. Agustín escribió: «Unidad en lo esencial; en lo opinable libertad; y en todo caridad». Y Pablo nos dejó esta perla: «Nuestra capacidad nos viene de Dios, que nos ha capacitado para ser servidores de una alianza nueva: no basada en pura letra, porque la pura letra mata y, en cambio, el Espíritu da vida» (2Co 3,4).

Por eso intento comprender la llamada «doctrina oficial» pero no puedo evitar que en mi interior nazcan certezas o evidencias que la sobrevuelan. Ha de tenerse en cuenta además que *la última instancia de la persona es su conciencia*. Bien formada —añaden los clérigos— pero lo definitorio es que sea «conciencia profunda», donde mana el Espíritu, aunque la formación intelectual no la alcance. Hay cosas que no se ven desde una «conciencia cerebral» y menos aún desde una «conciencia socializada», pero que la «conciencia profunda» descubre de forma intuitiva. Es la «sabiduría de los sencillos» (Mt 11,25) de que habla el Evangelio. Ese principio de la conciencia como última instancia es confesado también por el Magisterio, luego forma parte de él. No podría ser de otra forma: «Hay que obedecer a Dios antes que a los hombres» (Hch 5,29).

Por otro lado el Magisterio debe ser dinámico (algo en lo que nuestra jerarquía debería poner más empeño) porque su finalidad es facilitar la vida, nunca mermarla: «He venido para que tengan vida y la tengan abundante» (Jn 10,10). De tu fidelidad a la conciencia profunda —es decir al Espíritu— junto con la mía y la de otros dependerá el progreso de esos textos oficiales que se alimentan del *«sensus fidelium»* (el sentir de los fieles), de todos los fieles: jerarquía, clérigos y laicos.

Todos, absolutamente todos, venimos urgidos por el Evangelio a «poner la luz en el candelero para que alumbre a cuantos hay en la casa» (Mt 5,15). Mi casa es mi Iglesia y humildemente la siembro con mis diminutas lamparillas en forma de artículos. Me lo exige mi conciencia, mi fidelidad al Evangelio y mi amor a este Pueblo de Dios que llamamos Iglesia católica.

No me resisto a plasmar aquí unos párrafos de alguien con mucha más sabiduría que yo: «La verdadera obediencia no es la obediencia de los aduladores, que evitan todo choque y ponen su intangible comodidad por encima de todas las cosas. Lo que necesita la Iglesia de hoy y de todos los tiempos no son panegiristas de lo existente, sino hombres en quienes la humildad y la obediencia no sean menores que la pasión por la verdad; hombres que den testimonio a despecho de todo ataque y distorsión de sus palabras»[6].

A los inmovilistas, rígidos e intransigentes, que condenan todo lo que se mueve, podemos responderles: «No creemos ya por lo que tú nos has dicho; nosotros mismos lo hemos oído y estamos convencidos de que este es ciertamente el Salvador del mundo» (Jn 4,42).

---

[6] Joseph Ratzinger, *El verdadero pueblo de Dios,* Herder, Barcelona, 1972, pág. 293.

Y sí, Oliva existe. Es una viejita de noventa y dos años y paso quedo, que habla con Dios y a la que Dios habla. Ella me estimula constantemente a escucharle y revelarle.

Infiernos, doctrinas y censuras

¡Quién me mandará a mí meterme en estos charcos! Si yo no pretendía hablar del infierno. Si mi camino va en dirección contraria... Me han ido preguntando y he tenido que explicarme. Pero resulta que algunos curas ultras me ven en el infierno y han conseguido que censuren en una revista la parte anterior de este artículo por infernal. Así que no me queda más remedio que seguir y «dar razón de mi esperanza con dulzura y con respeto, con la conciencia tranquila, para que los que interpretan mal mi vida cristiana queden avergonzados de sus mismas palabras» (1P 3,15).

El tema del infierno —tan oscuro y oscurecido— me importa muy poco. Lo que me hiere es el desgarro del rostro amantísimo del Padre. He tenido que llegar a las canas para darme cuenta que el camino está trazado en el interior, que solo la búsqueda personal produce avances reales: «Buscad y encontraréis» (Mt 7,7). Por fin tomé distancia de la «conciencia cerebral» y caí en la «conciencia profunda» para darme de bruces con el «discernimiento personal»: «Examinaos a vosotros mismos y discernid si estáis en la fe. ¿O no reconocéis que Jesucristo está en vosotros?» (2Co 13,5). Descubrí que las doctrinas escritas son indicadores del camino, muy útiles y recomendables, pero que no debo abrazarme a las señales de tráfico y dejar de caminar. Menos aún hincar la rodilla ante el poste informativo y adorar un ídolo.

La doctrina auténtica no ata, solo ilumina. La verdad está en la búsqueda y no en la posesión. Quien se cree en posesión ha matado el camino, ha dejado de ser peregrino para convertirse en abraza farolas —nunca mejor dicho—. La posesión está tras el camino. No puedo entregar mi confianza a los integristas que constriñen mi fe católica con una sola pieza del puzle —utilizada como arma arrojadiza— mientras olvidan el rostro de Dios resultante del puzle completo. La coherencia es básica para comprender la Escritura[7].

Mis opositores me condenan por afirmar que *el infierno no puede ser definitivo.* Ni siquiera me conceden el derecho a mi insignificante libertad de expresión. Sin embargo, ha habido católicos eminentes que han afirmado que el infierno ha de estar vacío. Como el dominico Yves Congar, teólogo del Vaticano II, que primero fue duramente censurado y después nombrado cardenal. La lista de grandes teólogos y personas de Iglesia que han esperado esa «salvación de todos» sería interminable. Mi intuición de enano está pegada a ellos.

El purgatorio es la situación de «alejamiento del bien», mientras que el infierno es la situación de «rechazo del bien», es decir, de Dios. No son castigos, son situaciones que la persona elige con su libertad individual. Quien, desoyendo consejos e inspiraciones, elige buscar la felicidad sorbiendo, hiriendo o matando a otros, antes o después se dará de bruces con sus crímenes.

Creo en el infierno porque basta abrir los ojos para verlo en nuestro mundo, plagado de rechazos a Dios y a sus criaturas. En el reverso del tiempo, los amantes del mal se encontrarán

---

[7] Lo expongo brevemente en el artículo «El río de la Palabra».

con el reino del bien y el orden. Se descubrirán desnudos y los verdugos se hallarán convertidos en víctimas de sí mismos. ¡Pobres quienes hayan de pasar por la experiencia de todas sus víctimas para comprender, por fin, sus errores y horrores! Será difícil y penoso deshacer todo lo cosido con el hilo del mal. Pero, en algún momento, la rehabilitación terminará y verán lo que no quisieron ver en su vida terrena. ¿Cómo será, dónde, cuánto? ¡No juguemos a ser dioses y saberlo todo! Solo podemos vislumbrar —a partir del bellísimo Rostro revelado e intuido— el destino final de las criaturas. Intentemos algunas sencillas reflexiones:

— «Había un rey con muchos hijos. A todos les repartió muchas riquezas. Pero mientras unos las administraron y multiplicaron, otros las aprovecharon para rebelarse contra su padre. Al final el rey se impuso y encerró a los hijos rebeldes en la mazmorra de palacio. Encima de la puerta pendía un enorme reloj cuyo segundero repetía: para siempre, para siempre, para siempre... En los salones de arriba los hijos fieles disfrutaban con gran alegría y regocijo. Abajo los condenados gritaban, pedían socorro y se retorcían de dolor. Pero los hijos fieles seguían festejando, junto a su bondadoso padre, sin prestar la más mínima atención a los gritos de sus hermanos infieles».

¿Se parece esa estampa a la revelación del Señor? Al «perdón de los enemigos», por ejemplo. ¿El rey vengativo e inconmovible de mi parábola se parece al Padre del hijo pródigo? Luego algo no se ha interpretado y comprendido bien. El Padre-Madre que yo amo no permitiría un dolor definitivo y eterno para sus hijos rebeldes, aunque por su libertad errada se hubiesen metido en el agujero. Buscaría a toda costa que subiesen las larguísimas escaleras —metafóricamente eternas— que conducen a la reconciliación.

— En las sociedades modernas nos hemos humanizado. En muchos países ya no se aplica la pena de muerte, ni la cadena perpetua. ¿Será que nuestro Dios es menos civilizado que los humanos y aplica «penas eternas» a las barbaridades temporales? ¿O será que el Dios de los católicos es más cruel que el de los orientales? Este, al menos, les va perfeccionando a través de varias vidas terrenas, hasta que están maduros para su cielo.

— Dicen los teólogos que Dios no puede «desdecirse». Si nos ha creado libres, tiene que respetar su obra y sus consecuencias, incluida la elección de rechazarle (infierno). ¡Demasiado duro y cerebral! *La libertad es parte del parecido con el Creador,* un don, un precioso regalo. No es una prueba que hemos de superar, como si jugase con nosotros a carreras de bólidos: ¡A ver quién conduce bien y quién se estrella! Tampoco es una trampa que le sirva de coartada para enviarnos al infierno porque «nosotros lo hemos elegido». Sería una broma macabra.

Estoy seguro —hay argumentos que solo el corazón puede leer— que *el Padre nunca abandona a sus hijos,* aunque tenga que retirarles el carné de conducir o llevarles al cirujano. Puedes elegir ahora la auténtica Felicidad —para abrazarla entera tras el último sueño— o prolongar la pesadilla de perseguir aguas sucias que no sacian tu «sed infinita». Tras el tiempo, encontrarás finalmente el Agua que sacia, pero no envidio tu largo y penoso recorrido.

— En mis años jóvenes se me proponía, como ideal cristiano, esta máxima: «odiar el pecado pero amar al pecador». ¿Será que en el cielo se rebajará ese ideal y ya se podrá odiar al pecador? ¿Qué va a ser de mi hábito —tan arduamente conseguido— de amar a los pecadores? No puedo concebir siquiera que lo que aquí es bueno, deje de serlo en la otra vida y que la doctrina evangélica no tenga plena continuidad en el cielo.

— Queda aún otra reflexión más profunda y rotunda. El Dios al que adoro lo ha creado todo, lo puede todo, lo ilumina todo y es el Bien Absoluto. Si yo admito que algunas de sus criaturas van a estar toda la eternidad rebelándose y luchando contra Él, estoy afirmando que ha creado su propia «oposición», a la que no es capaz de vencer y que no existía antes de su acto creador.

Que cada uno crea lo que quiera o lo que otros le cuenten. Lo que a mí me llega desde dentro es esto: Que «todo lo hizo bien» (Gn 1,31); «que el mal se vence con el bien» (Ro 12,21) y que al final de los tiempos «pondrá a sus enemigos como estrado de sus pies» (Lc 20,43). No quedará vestigio de rebeldías, rechazos, ni oscuridad. Resplandecerá la Luz eternamente junto a todas sus criaturas, sin opositores, sin poderes paralelos, como resplandecía antes de la creación del universo. ¿Qué otro significado puede tener «vi un cielo nuevo y una tierra nueva» (Ap 21,1), «ahora hago nuevas todas las cosas» (Ap 21,5)? Y esto otro: «Luego, el resto, cuando haya aniquilado toda soberanía, autoridad y poder y entregue el reino a Dios Padre... Y cuando el universo le quede sometido... Dios lo será todo para todos» (1Co 15,24-ss).

Si «el mal se vence con el bien», es absurdo pensar que la suma de todos los males permanecerá encerrada toda la eternidad en el infierno al frente de un supuesto Jefe del Mal. ¿En qué «dios tan pequeño» creemos que es incapaz de vencer todo el mal que hayamos podido generar sus criaturas —hombres y ángeles— por la perversión de la libertad?

El mito del «fuego del infierno» (y del purgatorio) tiene su sentido si lo interpretamos como «purificación» (no hay símbolo de purificación mejor que el fuego). Efectivamente, la sola presencia del Sumo Bien (lo que llamamos Juicio) purificará todo vestigio de mal en nosotros y arderemos como *ninot* hasta que no quede más que la esencia de Dios, «su imagen y semejanza», con el grado que hayamos conseguido hacerla crecer (parábola de los talentos). Lo que Dios arrojará al «fuego eterno» (es decir, a la extinción total) no serán sus criaturas, sino todo vestigio de mal que persista en cada una de ellas. Es una interpretación totalmente coherente: Ante el Bien Absoluto el mal solo puede desaparecer, como desaparecen las sombras al amanecer.

— No hemos asumido con humildad ni la limitación, ni la progresividad del conocimiento y corazón humanos. Seguimos queriendo ser «como dioses» con toda la sabiduría conseguida y todas las verdades absolutas en el bolsillo. ¿Hemos olvidado que solo existe un Absoluto inabarcable al que no podemos «mirar a la cara»? Solo cabe buscarlo, intuirlo, percibir su suave brisa, escuchar su voz... Nos conviene releer: «Muchas cosas tengo que deciros todavía, pero ahora no estáis capacitados para entenderlas. Cuando venga él, el Espíritu de la verdad, os guiará a la verdad completa. Pues no os hablará por su cuenta, sino que os dirá lo que ha oído y os anunciará las cosas venideras» (Jn 16,12). O aquello otro: «Nuestra capacidad nos viene de Dios, que nos ha capacitado para ser servidores de una alianza nueva: no basada en pura letra, porque la pura letra mata y, en cambio, el Espíritu da vida» (2Co 3,4).

¿Cómo podremos progresar en la comprensión de las muchas cosas, que quedan por decir, si nos encadenamos a la verdad total que decimos poseer? ¿Cómo podremos ver las cosas venideras si solo miramos hacia atrás? ¿Por qué malversamos nuestra capacidad aprendiendo solo letras y despreciando la Música del Espíritu?

Hace años, el nuncio del Papa en España, Mario Tagliaferri, en uno de nuestros encuentros privados me decía: «Mira hijo, si la gente no ama a Dios, es porque nosotros no sabemos transmitirles su verdadero rostro». ¡Estoy convencido! Estamos tan atados a doctrinas de papel, a interpretaciones inamovibles, a verdades absolutas «fabricadas por hombres», que se nos olvida buscar apasionadamente el rostro amabilísimo del Padre donde realmente brilla: en la hondonada del corazón sincero. *No se puede predicar con una mano el Dios amante y con la otra el «dios espeluznante»*[8]. No podemos aferrarnos a las farolas —interpretadas a nuestro modo y manera— y negarnos a caminar. «Y como estas hacéis muchas» (Mc 7,13).

---

[8] Para mayor profundización véanse: F. VARONE, *El dios sádico,* Sal Terrae, Santander, 1988 y J. M. MARDONES, *Matar a nuestros dioses,* PPC, Madrid, 2006.

Me duele que en nuestra Comunidad se multipliquen los censores y disminuyan los motivadores, aquellos que sientan sinceramente las palabras del Señor: «Fuego he venido a traer a la tierra...» (Lc 12,49) ¿Será que nuestra actualidad eclesial está compuesta solo por copistas y herejes? ¿Será que, en nuestra Iglesia, no se puede utilizar la inteligencia, la libertad, el discernimiento personal, la conciencia profunda? ¿O será que el trato personal con el Resucitado ya no es recomendable porque sus inspiraciones son poco católicas? No podemos olvidar la advertencia de Pablo: «Si os mordéis y os devoráis mutuamente, ¡mirad no vayáis mutuamente a destruiros!» (Gl 5,15).

¡Que nadie me confunda! Amo a mi Iglesia con la pasión del amor primero y la ternura de la madurez. Si me arriesgo a sembrar «palabras nuevas» es para disuadir a los embalsamadores de uno u otro signo. ¡No, por favor! ¡Hay mucha vida multicolor brotando en el seno de nuestra Iglesia! Somos muchos los hijos, bien vivos, que —ante alabanzas o condenas— cantamos con gozo el himno de la fidelidad perpetua:

> «¿Quién podrá acusar a los hijos de Dios? Dios es el que absuelve. ¿Quién será el que condene?... ¿Quién podrá separarnos del amor de Cristo? ¿La tribulación, la angustia, la persecución, el hambre, la desnudez, el peligro, la espada?... Pero de todas estas cosas salimos triunfadores por medio de Aquel que nos amó. Porque estoy persuadido que ni la muerte, ni la vida, ni los ángeles, ni los principados, ni las cosas presentes ni las futuras, ni las potestades, ni la altura ni la profundidad, ni otra criatura alguna podrá separarnos del amor que Dios nos ha manifestado en Cristo Jesús, Señor nuestro» (Ro 8,33). Amén, amén.

¿Y LA JUSTICIA?

Vengo defendiendo en este largo artículo que no existen castigos divinos, ni infiernos sin fin. Ha habido lectores —teólogos algunos— que me han recordado que *Dios es infinitamente bueno, pero también infinitamente justo.* Sí, yo también lo aprendí cuando era chico. Y recuerdo que mi imaginación infantil desarrolló la figura de un gran *sheriff* de cara afable pero bien pertrechado con unas magníficas pistolas de plata. Al que se salía de cauce ¡disparo certero! y... al hospital o al cementerio, según el pecado fuera venial o mortal. Era una imagen perfectamente acorde con el catecismo: «premiador de buenos y castigador de malos».

Después he buscado sinceramente al Creador y se han difuminado sus cartucheras. Nada debía temer puesto que yo era un tipo ordenado y responsable. Sin embargo, me acercaba a Él con precaución y nunca, nunca, me atreví a mirarle a la cara por si me encontraba con el «infinitamente justo» y «castigador de malos». Hasta que el trato frecuente me envalentonó. Un día me atreví a mirarle a los ojos —«que tengo en mis entrañas dibujados»—[9] y solo vi: «¡Te quiero!». Me eché a llorar como un niño y la tensión de mis prevenciones se diluyó en lágrimas. Parecida historia encontré en un libro de cuentos[10] que me hizo volver a llorar. Desde entonces no creo en la justicia de Dios. ¡Se le cayeron las cartucheras!

---

[9] San Juan de la Cruz, *Cántico Espiritual,* v. 55.

[10] Anthony de Mello, «La mirada de Jesús»: *El canto del pájaro,* Sal Terrae, Santander, 1982, pág. 148.

Además, a uno le gustan las lecturas provocativas y encuentra historias como estas:

—Una adúltera (no arrepentida y aterrada por la inminente pedrea) es sentenciada: «el que esté sin pecado que tire la primera piedra... tampoco yo te condeno, vete y no peques más» (Jn 8,7-11). ¿Qué clase de justicia es esa? ¡Y encima desafiando la Ley!

—Un estafador, pequeño y malencarado, escucha: «Hoy tengo que hospedarme en tu casa» (Lc 19,5). ¡Pero, hombre, si a este tipo había que cortarle las manos como mínimo! ¿Cómo se puede confraternizar con los injustos?

—Un hijo fiel espera justicia y se encuentra con agasajos al «hermano sinvergüenza y rebelde» (Lc 15,11). ¿Dónde queda la justicia, la retribución del delito?

—Sigo leyendo y me encuentro con un recetario de injusticias: «Al que te abofetee en la mejilla derecha, preséntale también la otra» (Mt 5,39), «Amad a vuestros enemigos» (Mt 5,44), «Él es bueno con los desagradecidos y con los malvados» (Lc 6,35), «No cortéis la cizaña» (Mt 13,28). Y así una tras otra. ¿Dónde está la justicia infinita? ¿Quién nos vengará de los opresores?

—Llego al final de mis lecturas y ya es el colmo. Unos torturadores y asesinos escuchan de su propia víctima inocente esta durísima sentencia: «Padre perdónalos porque no saben lo que hacen» (Lc 23,34). ¿Dónde está el castigador de malos?

¡No, Dios no es justo! No con la justicia punitiva y humana que le colgamos. Solo le es aplicable la justicia, sinónimo de bondad y buen gobierno, tan frecuente en los textos bíblicos. *Cuanto más buscas, más te topas con el Amor.* No, Dios no castiga, no tiene un lado amable y otro colérico. Somos nosotros los que, al separarnos del amor, nos vamos hundiendo en «las tinieblas exteriores» (Mt 22,13). Lo mismo que, cuando nos alejamos del sol, nos morimos de frío. No es que el sol nos ajusticie con la congelación —qué absurdo— somos nosotros los que elegimos alejarnos de nuestro hábitat, de la atmósfera ordenada y limpia del universo, del amor. ¡Qué perversa miopía atribuir las consecuencias de nuestro alejamiento a quien nos ama, nos atrae y nos busca desesperadamente!

Olvidamos con necia frecuencia *el principio básico de la libertad*: a tal decisión, tal consecuencia, a tal camino, tal destino. Si todas las opciones llevasen a un mismo punto, la libertad sería un camelo. Los distintos actos tienen consecuencias distintas. No existen actos neutros. O avanzamos hacia el amor (felicidad) o hacia el dolor. ¿Cuándo nos convenceremos que estamos hechos de amor y para el amor? Nacemos libres porque somos hijos de la Libertad absoluta. Es un privilegio, nunca una prueba o una trampa. Por eso nacemos con la brújula incorporada. Nuestra libertad está muy bien arropada por la inteligencia, la energía y el amor. Es un tremendo disparate tirar la brújula.

Cuando despreciamos el amor —don divino por excelencia—, sufrimos o hacemos sufrir. Entonces nos hundimos en la injusticia (consecuencia del desamor). Es como si lanzásemos piedras en nuestra vertical, antes o después nos caerán encima. A veces las consecuencias tardan en llegar. Eso puede convertirnos en vividores imprudentes, incluso en alimañas inhumanas.

La justicia es la fuerza gravitatoria que nos mantiene unidos al Amor. Nuestra libertad puede desafiar esa fuerza y separarse.

Cuanto más lejos y más tiempo permanezcamos en el vuelo errático, más dolorosa y difícil será la vuelta a la órbita. Pero, sea en esta vida o en la otra, con más o menos esfuerzo según el grado de ruptura, todos volveremos al centro de gravedad de la Creación, al cenit de la humanidad, al punto omega, al Amor Creador.

No existe un Dios colérico, ni vengador, ni castigador. Ni, por supuesto, un *sheriff* vigilante. Esas son figuraciones antropomórficas y metafóricas de unas u otras épocas. Somos nosotros los que bajamos a la cólera, la venganza, la desgracia o el suicidio. *Solo existe un Dios Amor que nos llama con total gratuidad e infinita dulzura.* Podemos oír su llamada o fugarnos tras las baratijas.

Cuando —consciente o inconscientemente— nos fugamos, sufrimos las consecuencias. Es la historia del hijo pródigo. Lo dice la sabiduría popular: «en el pecado está la penitencia». Pecado es todo desprecio del amor. La penitencia es la justicia, siempre incorporada al desamor como consecuencia. Unos la sufren en esta vida. Otros la sufrirán en la otra cuando, despojados de la opacidad de la carne, vean que *Dios es amor, nada más que amor.* Sufrirán mucho al verse lejos de su felicidad. La justicia es el resultado de acercarse o alejarse del Amor. Así de simple.

EL SANTO TEMOR

A este artículo le faltaba un peldaño. Al fin voy a intentar subirlo. Se me quedó en el tintero «el santo temor de Dios» que creo merece alguna reflexión.

El temor es un elemento de nuestro sistema de defensa. Sin él nos estrellaríamos constantemente contra cualquier peligro. No hay más que observar a los niños. Ellos no temen hasta que desarrollan la conciencia de peligro o les contagiamos nuestros fantasmas. Al hacerse conscientes de los peligros de la vida, aprenderán a no meter la mano en la hura del alacrán (a mí me picó uno y no se lo recomiendo a nadie), a evitar un precipicio o a vigilar la cartera en el autobús. Muchos, muchísimos peligros nos acechan y es muy bueno tener temor para protegernos y espabilar nuestro cuidado.

El temor, por tanto, es bueno. Es una alarma natural, el piloto rojo que se enciende ante peligros conocidos o desconocidos. Claro que, en ese afán por proteger a nuestros hijos, los padres o la sociedad nos inventamos «hombres del saco», «saca sangres» o «demonios» que frenen la imprudencia o el libertinaje. Nos equivocamos, porque inducimos un miedo patológico (exagerado e irreal), que merma energía y frena la capacidad de avanzar. Lo acertado sería ayudar a formar una conciencia recta sobre bases reales y racionales.

Por desgracia, *el mayor error que hemos podido cometer es involucrar al mismísimo Dios en esta patología del miedo.* Le hemos convertido en el mayor ogro, el mayor peligro, a fin de frenar nuestros barbarismos y exageradas ansias de libertad. En vez de estimular nuestras capacidades humanas (reflexión, prudencia, solidaridad, etc.) hemos creado un monstruo que nos apalea airado (o nos apaleará después) cuando somos malos.

Los profesionales de la religión han justificado tal fantasma defendiendo que Dios es justo y, por tanto, ha de masacrar indefectiblemente al libertario injusto. En vez de explicar *que toda acción tiene sus consecuencias y que el mal siempre acarrea males.* La sabiduría popular lo abrevia: «El que siembra vientos recoge tempestades». Si me tiro por el barranco —por ejemplo— me romperé enterito sin intervención alguna del dios castigador. El castigo nos lo imponemos nosotros mismos (nos auto-castigamos) con nuestras decisiones erradas. *Es un terrible engaño colgarle a Dios el castigo, como engaño es culpabilizar a la luz de la oscuridad.*

A esto hemos llegado por un proceso histórico sobre el que debemos avanzar. El «dios aterrador» surge para nosotros en el Antiguo Testamento. Es fácilmente explicable porque, en una sociedad teocrática y primitiva, el freno decisivo estaba en «el dios de la ira, de la venganza o del castigo». Los dirigentes judíos supieron explotar y politizar el miedo como freno al «corazón de piedra» de un pueblo semibárbaro. Posiblemente no tuvieron otro remedio.

Lo utilizaron igualmente para impulsar la obediencia ciega y el coraje conquistador. Si las órdenes procedían del «dios de los ejércitos», sin duda la motivación sería suprema; sobre todo, si al incumplimiento se asociaba el castigo divino. La inhumana aberración de la «ley del exterminio» —por ejemplo— no hubiera sido posible sin tales condicionamientos. Es decir, los dirigentes judíos convirtieron «lo políticamente correcto o útil» en voluntad expresa de Dios. Más claro: utilizaron a Dios. No sé si consciente o inconscientemente como consecuencia de su teocracia, pero sin duda lo utilizaron.

El Nuevo Testamento rompe con los «falsos dioses» y Cristo nos revela el verdadero rostro del Padre: el Dios Amor. Pero me temo que nuestras autoridades religiosas, inmersas en la inercia del pasado y más celosas de hacerse obedecer que de descubrirnos el rostro de Dios, han seguido utilizando —más o menos según épocas— el «miedo al monstruo».

Es comprensible, porque el rostro de Dios es difícil de escrutar y el miedo es una herramienta eficaz para reconducir conductas. Lo hemos hecho también las familias asustando a nuestros hijos con «el coco» o con «el castigo de Dios» para hacernos obedecer. Lo comprendo pero no lo comparto. *No se puede imponer la religión y mucho menos bajo amenaza.*

La religión (de *'religare':* unir) mana espontáneamente en el fondo del ser humano, aunque algunos obstruyan ese pozo. *Solo cabe buscar dentro para descubrir al único y verdadero Dios.* De ahí nacerá la adhesión-unión (religión) y el estilo de vida (moral). Mal van a apoyar esa búsqueda quienes absolutizan los libros y las opiniones de otros, sin buscar dentro de sí. Se parecen a aquel huertano que, fascinado por el precioso manantial encontrado por su vecino, le pidió unas botellas del precioso líquido para plantarlas en su huerta. Ciertamente es imprescindible contar con instrumentos y personas que nos ayuden e iluminen. Pero el trabajo de búsqueda ha de ser personal para llegar al íntimo encuentro.

Hay católicos que piensan que el apostolado consiste en construir enormes y costosos canales para hacer llegar el agua del Evangelio a todas las creaturas. Sin embargo, el sistema hídrico del propio Evangelio *enseña a cavar pozos:* «el agua que yo le daré será en él manantial que salta hasta la vida eterna» (Jn 4,14). En lenguaje popular: «No le des peces, enséñale a pescar; no le des agua, enséñale a cavar». Pero volvamos al temor.

El error de «utilizar a Dios» para mover conductas se volverá contra los mismos que lo practican. Se verán desenmascarados y abandonados. Si además se ha cultivado el «miedo reverencial» a la casta sacerdotal (especialmente a sus líderes) para forzar respeto y obediencia, la reacción contraria de liberación será todavía más fuerte. Esto es, en parte, lo que hoy nos ocurre.

La adhesión a los religiosos se produce espontáneamente cuando su testimonio resplandece por encima de sus consignas, cuando se constata que realmente siguen el Evangelio: «y todos vosotros sois hermanos» (Mt 23,8). Los cristianos de hoy tenemos un hambre infinita de ejemplos, de guías coherentes, de líderes convencidos de que «hacer es la mejor forma de decir».

No es verdadera la «religión del miedo», ni existe un dios colérico que nos acosa cuando desoímos a los clérigos, ni siquiera cuando nos portamos objetivamente mal. Las consecuencias negativas de nuestra mala conducta nos llegarán sin duda, pero no por la mano de Dios. *El que se vuelve ciego, por empeñarse en vivir en la oscuridad, jamás podrá decir que la causa de su ceguera fue la luz.*

Estoy convencido que el Espíritu está sembrando hoy en nuestro pueblo un ansia inmensa del Dios verdadero: el Dios Amor, que sufre cuando nos hacemos daño o se lo hacemos a otro, cuando olvidamos nuestra condición humana y nos arrastramos como gusanos. Pero que respeta nuestra libertad porque es un don que Él nos regaló y no nos quitará. Aunque le duela el dolor que nos traerá nuestra decisión de alejarnos de Él, como el hijo pródigo.

¿Entonces el temor a Dios es malo? El descrito hasta ahora sí, porque parte de falsedades. *Dios nunca es un peligro* ante el que haya que alertar nuestro sistema de defensa. Todo lo contrario: Dios es nuestra defensa, que actúa normalmente tras las luces de nuestra inteligencia, tras la fuerza de nuestra voluntad y tras el discernimiento de nuestra libertad.

Hay dos clases de temor: el «temor al mal» (peligro, desgracia, castigo) y el «temor a perder un bien». El primero es una blasfemia aplicárselo a Dios. El segundo es el «santo temor de Dios». Un cristiano, con un mínimo de vida interior, ha debido descubrir y experimentar que el camino de Dios es el camino de la felicidad, no solo de la felicidad de «después» sino de la actual. El santo temor es el dolor ante la sola posibilidad de alejarse de la Vida, de equivocar el camino (aunque sea inconscientemente), de no acertar en el correcto uso de tus dones.

Es tremendamente chocante que tengamos que aprender tantos manuales de uso (ordenador, lavadora, móvil, y un larguísimo etcétera) mientras *descuidamos totalmente nuestro manual de uso como personas*. ¿Quién soy? ¿Cuáles son mis piezas esenciales y mis funcionamientos correctos? ¿Cuál es mi misión en la vida?... Con toda seguridad el santo temor nos llevará a profundizar en nosotros mismos para aprender a manejarnos, para caminar el camino de la plenitud humana, que es el trampolín para saltar a los brazos del Amado.

Una enamorada nunca tendrá temor de su enamorado. Su felicidad es estar con el amado. Lo que teme la enamorada es vivir alejada de su amado. Pienso, por ejemplo, en los novios o esposos que viven a distancia por razón de su trabajo.

Desde hace muchos años repito esta jaculatoria: «Que lo haga bien, Señor, que lo haga bien». Cuanta más oscuridad, duda, fragilidad o tristeza han asaltado mi vida, más ha arreciado esa oración. Sé que *la vida es una hilatura que se va tejiendo con cada decisión*, con cada paso, con cada acto. Mi miedo es no discernir y no elegir bien, causando daño propio o ajeno. Sé que mi libertad es un bólido de mil caballos de potencia. Es un gran regalo, una máquina preciosa. Pero dependerá de cómo la conduzca para que me lleve a la deseada felicidad o al macabro accidente. Por eso temo, claro que temo, equivocarme de carretera, distraerme al volante. Lo que me fue dado para llevarme a la plenitud y al gozo, temo emplearlo para mi desgracia.

Por eso bendigo el santo temor que me pone en camino de la fidelidad, el orden, la perfección, el equilibrio y el amor. Sé que por esos escalones se llega a los brazos del Amado. Por eso sigo repitiendo con Oliva, mi viejita amiga de la parroquia: «No permitas que me aparte de Ti», para que Tú seas cada vez más en mí. Amén.

¿DÓNDE NACE EL PERDÓN?

La pregunta surgió en un coloquio. Me pareció tan intere- sante que bien merece unas reflexiones.

Hay quienes no tienen dudas: «yo ni olvido ni perdono» —dicen— sin importarles que la televisión les esté delatando. Estas personas sufren un doble daño: el que les han causado y el que ellas mismas se causan cultivando un odio mordedor. A quien, consciente o inconscientemente, se empecina e intenta liberarse por la venganza, poco se le puede decir. El propio odio conlleva la carcoma de la falta de paz porque es contrario a la vida positiva que fluye en la hondonada humana. *El odio es desear el mal del otro, el odio es muerte y genera muerte.*

Hay quienes matizan: «yo perdono pero no olvido». Algunos lo dicen porque perdonar está bien visto y les parece de mala educación decir lo contrario. El «no olvido» significa: «antes o después me las pagarás; mantendré la espada en alto hasta que se me presente la ocasión de devolver mal por mal». No han perdonado más que de boquilla, siguen deseando el mal a largo plazo, «la venganza se sirve fría». Otros perdonan sincera- mente y el «no olvido» significa que toman nota de por dónde puede venirles el daño para tratar de evitarlo en el futuro. Esta postura es legítima y prudente. Perdonar no significa morrear-se con el agresor.

La mayoría de nosotros —cristianos confesos— no hemos sufrido daños de noticiario y tenemos verdadero interés en perdonar las pequeñas o grandes afrentas de nuestra historia. Tenemos una idea, un deseo, un propósito, fruto de nuestro «yo cerebral» que se adhiere a los principios cristianos. Ya es algo. *Pero perdonar no es lo mismo que querer perdonar.* Uno puede querer perdonar y comprobar como le ahoga el impulso de hacer daño a quien con daño le hirió. Eso sí, sin que se vea, sin que nadie lo note, sin que sufra mi imagen de civilizado y ecuánime.

Por mucho que yo estruje mis ideas o mis principios, si no desciendo al nivel del ser (a lo hondo de mí mismo), no brotará el perdón. Si además quiero cumplir con la máxima de «amar a los enemigos», entonces la situación cobra tintes dramáticos, la tensión y la culpabilidad pueden instalarse en la «conciencia cerebral» y hacerme caer en la desesperanza ante lo imposible.

Y es que el Evangelio —en contra de lo que muchas veces oímos o pensamos— no es un conjunto de normas, consejos o palabras buenas. *El Evangelio es ante todo vida*[11] y solo puede integrarse desde donde nace la vida, es decir, desde el ser, desde ese fondo positivo y profundo donde residen los dones que constituyen mi identidad. *No basta saber, ni tampoco querer.* El nivel cerebral es solo el foco que nos permite adentrarnos en las profundidades, es el traductor de las sensaciones que emite nuestro ser, ese diamante jaquelado que refleja nuestro

---

[11] Jn 1,4; 3,36; 5,24.40; 6,35.63.68; 10,10; 11,25; 14,6; 17,2; 20,31.

parecido con Dios, ese «fondo preciosísimo» o «tu mejor tú» que diría Pedro Salinas[12].

Perdonar es dejar que la aspiración a hacer el bien nos inunde. Esa aspiración, asumida conscientemente por toda mi persona, disipa la venganza, diluye el deseo de castigar, incluso el deseo de justicia como desquite o revancha legal. ¿Yo, desde el fondo de mí, deseo el bien para quien me ha causado un mal de cualquier tipo o calibre? Si —a pesar de todo mi dolor— puedo contestarme afirmativamente, es que he perdonado. Estoy «venciendo el mal con abundancia de bien» (Ro 12,21), ese bien que mana siempre en mi interior porque estoy hecho a semejanza del Bien infinito. La dificultad está en que ese bien, residente en mis entrañas, no está suficientemente visitado, profundizado y canalizado para inundar los males con los que mi historia tropieza. *Aspirar al bien, cultivar el bien, practicar el bien, dejar que inunde lo propio y lo ajeno.* Eso es perdonar.

Otra cosa es que la sensibilidad sienta aversión, antipatía, asco, rechazo, crispación, etc. En gran medida, esas sensaciones son la reacción lógica contra el mal en sí y no contra el malvado («odiar el pecado y amar al pecador», decían los maestros espirituales). Nadie puede querer que le claven un puñal por la espalda, le engañen, le amedrenten o le miren mal. Conviene saber, además, que hay personas que nos despiertan aversión o miedo por su físico, su tono de voz, su carácter, su estilo u otras circunstancias. Normalmente es porque esas características o circunstancias tienen algún parecido con algo o alguien que nos causó daño en el pasado; muchísimas veces ni lo recordamos.

---

[12] PEDRO SALINAS, *La voz a ti debida,* versos 1454 y 1456.

Algunas personas, con finura humana y delicadeza de conciencia, se inquietan porque creen que no consiguen perdonar y que el rencor es la fuente de esas sensaciones negativas. No siempre es así. El perdón, como el amor, nace del ser y no debemos confundirlo con lo que fluye a nivel sensible. A medida que la persona crece, las aspiraciones positivas inundarán mayor parte de su sensibilidad y las sensaciones negativas serán menos numerosas, menos intensas y menos duraderas, pero siempre habrá una parte subconsciente imposible de evitar. De ahí la necesidad de estar bien anclados en el ser, en nuestra raíz, en nuestro «fondo preciosísimo» para que las ventoleras de la sensibilidad no nos lleven a la deriva.

Finalmente, será útil observar que en nuestro caminar coincidimos con personas, libros, música, naturaleza, ambientes, que nos vitalizan, que despiertan lo mejor de nosotros mismos, que nos motivan a seguir nuestro camino de maduración y liberación personal. Son «relaciones vitalizantes» porque estimulan nuestra vida profunda y nuestra vocación.

Hay otras, por el contrario, que entorpecen nuestro crecimiento, que nos apartan de nuestra misión. Son «relaciones nefastas» porque perjudican nuestro desarrollo personal» (me viene de pronto la relación de muchos con la telebasura y los éxtasis de moda).

Es normal que las personas vitalizantes despierten nuestra adhesión, nuestra simpatía y nuestro amor. Es normal igualmente que por las personas desvitalizantes sintamos rechazo o antipatía, lo que no significa odio ni ausencia de perdón. Paradójicamente hay relaciones nefastas que suscitan una poderosa atracción superficial. Es el caso, por ejemplo, de «los amiguetes», «los ligues» u otras relaciones epidérmicas.

Es de sabios potenciar las relaciones vitalizantes y apartarse de las relaciones nefastas. Perdonar y amar a todos, sí. A todos desear el bien y, si es posible, hacérselo. Pero privilegiar la relación con los ambientes humanos y materiales que nos iluminan, nos motivan y nos ayudan a caminar. En ello nos va la vida, la auténtica vida. Donde mana la vida profunda fluye el perdón.

QUERIDO CURA

Hace ya mucho tiempo paseaba yo con un cura bueno por el jardín de una casa de ejercicios. Mira Eladio —le decía— *siento por los sacerdotes y religiosos un amor especial,* una preocupación preferente. Se me impone desde dentro una reciprocidad a vuestra entrega. Mis manos de laico y padre de familia se me escapan como mariposas para bendeciros. Me sorprendió la rauda respuesta: «Eso es un don, Jairo Javier, eso es un don. No dejes de ponerlo en práctica. Los sacerdotes lo necesitamos».

Sí, le estoy haciendo caso. A lo largo de mi vida les he volcado mi afecto y mi sinceridad. No he discriminado entre hombres y mujeres, diocesanos o profesos, jerarquías o simples legos. Siempre les he tenido un cariño especial, no lo he disimulado nunca. *Pero también les he pedido coherencia, como mínimo.*

Algunas veces me encuentro con consagrados que me miran por encima del hombro, como haciéndome notar mi ignorancia e impiedad, mostrándome que «la clase de tropa» nada puede aportar a un elegido. Es la conocida reacción aquella: «Todo tú eres pecado desde que naciste, y ¿nos enseñas a nosotros? Y lo expulsaron de la sinagoga» (Jn 9,34). En esos casos *no se puede*

insistir en dar amor a quien solo busca prestigio, autocompla-
cencia, poder o distancia de casta.

Hay otros cuya inseguridad les impide soportar el más mínimo cuestionamiento y se amurallan en sus principios, en sus rigideces, en su incomunicación. Hay quien, en nombre de nobles ideales, desprecia, divide y bendice solo a los que le aplauden. Hay también quien, en nombre de la justicia, siembra acepción de personas, sectarismo, fanatismo y un pesimismo descristianizado. Hay, por fin, quienes blandiendo un progresismo exacerbado atacan toda doctrina establecida y solo predican sus particulares opiniones.

Todos estos rechazan sistemáticamente a cualquier laico sincero que no baile su incensario. Llegan a ridiculizarnos, a criticarnos sin piedad, a ofendernos desde el púlpito o la plática. Llegan, incluso, a empujarnos fuera de la parroquia, la cofradía o el grupo. Son incapaces de aceptar cualquier contraste, información, carisma, cuestionamiento o ayuda.

Conozco un párroco que no quiso abrir la carta de un feligrés comprometido y se la devolvió cerrada con este comentario escrito en el reverso: «Emplea tu tiempo y energía en otras cosas. No te he pedido ni tu opinión ni tu consejo». Me pregunto: ¿puede un católico quedarse al margen de lo que ocurre en su parroquia, en su Iglesia?

No se puede ayudar a quien no quiere ser ayudado. No se puede ayudar a los prepotentes —inconscientes o confesos— que solo admiten el «fiel» servilismo y la boca cerrada, que no toleran más que la masa silente y la virtuosa rutina. Cuando me tocan estos prójimos, mi don de amor y ayuda vuelve a mí. Es una situación paralela a aquella otra: «Cuando entréis en la casa, saludadla; y si la casa se lo merece, la paz de vuestro saludo descenderá sobre ella; y si no se lo merece, la paz se volverá a vosotros» (Mt 10,12).

Muchas veces he podido relacionarme con *consagrados deseosos de compartir su experiencia de Dios*, de ayudar y ser ayudados. Como decía un santo misionero jesuita: «Todos somos enfermos y enfermeros al mismo tiempo o sucesivamente».

Hace un tiempito paseaba yo con un arzobispo y nuncio del Papa en una nación lejana. Le conté mi intención de escribir, alguna vez, para religiosos y sacerdotes. Le concretaba, incluso, que un primer artículo podría titularse «Querido cura», título totalmente sincero y profundamente sentido. El prelado terció presto: «¿Y por qué no añades querido obispo? También los obispos necesitamos tu amor, tu ayuda y tus críticas fraternas». No supe qué contestar. No me esperaba ese ejemplo de espontánea humildad, de acogida sincera, de reconocimiento a mi carisma. Solo días después pude decirme: si todo el clero supiese abrazar a los laicos y creer en ellos como este obispo, otros frutos florecerían en la «común unidad» de la Iglesia. Con qué alegría podríamos cantar juntos desde el fondo más sagrado: «No adoréis a nadie, a nadie más que a Él».

Pues bien, dejando de lado mis aprensiones y apoyándome en mis motivaciones, intentaré escribir alguna vez para nuestros hermanos curas y religiosos (ellos y ellas). Sin duda mis reflexiones servirán también a los laicos, tan necesitados de una «relación adulta, cálida y cercana» con los hermanos consagrados. Contaré lo que se ve desde este lado del altar o la tapia, lo que nos va bien y menos bien, las esperanzas, los temores y los deseos respecto a los que, de una u otra forma, lo habéis dejado todo para ser nuestros «pescadores». ¿Sabéis ya que muchos laicos estamos intentando subirnos a la red y, a veces, vuestro despiste nos ahuyenta?

Deberían abrirse más vías de comunicación con vosotros, espacios de cercanía, de transparencia, de comprensión mutua, de sinceridad y amor. Serían sumamente útiles para ambas partes y, desde luego, para vuestra misión en la que, como objeto o sujeto, estamos irremediablemente implicados.

En lo que a mí respecta, no dejaré de intentarlo. Procuraré ser valiente a la hora de decir lo que pienso aunque sea crítico, aunque llame al cuestionamiento y la reflexión. Sé de antemano que no soy sabio, tal vez ni prudente, pero me animan aquellas palabras: «Dios eligió lo necio del mundo para humillar a los sabios; lo débil, para humillar a los fuertes; lo vil, lo despreciable, lo que es nada...» (1Co 1,27). Así que me atreveré a escribir desde mi nada.

Me muevo en el barro del mundo, el moderno Nazaret, aldea idealizada por los cristianos pero de la que los auténticos de la época dijeron: «¿De Nazaret puede salir algo bueno?» (Jn 1,46).

Concédeme al menos, querido hermano, querida hermana, el beneficio de la duda, porque *estoy a tu lado y quiero compartir tu misión*. Aunque te parezca insólito, a mí también me alcanzó aquel dardo penetrante y gozoso que me hace gritar: «¡Ay de mí si no evangelizare!» (1Co 9,16).

NI SALVADOS, NI REDIMIDOS
¡Tan solo amados, llamados y esperados!

Durante siglos nos han enseñado que *el pecado del hombre causó una ofensa infinita a Dios.* Siendo el hombre un ser finito, no podía reparar esa ofensa infinita. Era preciso alguien infinito para satisfacer el honor de Dios. Por otro lado, al haber sido cometida la ofensa por el hombre, tenía que ser reparada por un hombre. Eso explica que Jesús (Dios y hombre) se encarne, muera y merezca con su muerte (sacrificio con valor infinito por tratarse de un ser infinito) la reconciliación con Dios. Al quedar pagado el justiprecio por todas nuestras ofensas, quedamos redimidos y los cielos abiertos.

Se me ponen los pelos de punta al recordar esta nefasta doctrina que ha durado casi diez siglos, *ha denigrado el rostro de Dios revelado por Cristo* y ha causado tanto temor. Bajo ella laten los conceptos de «culpa» y «expiación» judaicos de los que estaba impregnado san Pablo y con los que, a veces, contamina sus cartas. La superada interpretación literal de la Escritura nos permite ahora distinguir el diamante (Palabra de Dios) de los defectos causados por su tallador (el escritor sagrado).

En el siglo XI san Anselmo, influido por la literalidad de la Escritura y el ambiente feudal de su época, escribió la *teoría de la redención* que he resumido. La recogió después santo Tomás y se ha ido trasmitiendo por generaciones. Ahora los teólogos la rechazan pero no se hace lo necesario para informar a los creyentes y borrar del subconsciente colectivo esa trágica teoría. Cuando se descubre un error, lo lógico es corregirlo inmediatamente. Sin embargo, determinados textos oficiales, la liturgia y algunas predicaciones siguen reflejando esa deplorable historia del pasado.

Pareciera que nuestros dirigentes no comparten que «rectificar es de sabios». Siguen teniendo un «temor insuperable» a la autocrítica y los pasos adelante. El conservadurismo, disfrazado de tradición, les atenaza. Temen que su autoridad quede mermada por los cambios de rumbo. Piensan y dicen que su sabiduría se identifica con la inmutable e infalible sabiduría de Dios y que son los únicos con tal privilegio. No leyeron la alabanza: «¡Yo te alabo Padre porque has escondido estas cosas a los sabios y entendidos y se las has revelado a los sencillos!» (Mt 11,25).

Tampoco leyeron a san Paulino de Nola: «Estemos pendientes de los labios de los fieles, porque en cada fiel sopla el Espíritu de Dios». Tal vez tampoco oyeron a Juan Pablo II: «La fe no se impone, se propone» y se vive —añado yo— porque «hacer es la mejor forma de decir». Me duele la falta de celo, el inmovilismo, la ausencia de conversión (rectificación) de nuestros prebostes. *Me duele que al Pueblo de Dios no le lleguen las luces nuevas, la liberación del error y del temor.* Aunque comprendo la pesada inercia de los siglos.

Los doctores de hoy, como los de ayer, son expertos en construir torres de Babel con el pensamiento, en hacer encaje de bolillos con la razón. El error surge al apartarse de la realidad, al barajar fantasmas. Esos cerebralismos, *esos despegues de la realidad, inscrita en el corazón y recogida en el Evangelio, dibu-jaron un «dios sádico»* (a ras de los dioses mitológicos), capaz de desangrar a su hijo para darse a sí mismo una reparación. ¡Qué barbaridad! ¡Rechazo pública y firmemente ese «dios falso» y esa «redención mercantil»! ¿Qué ceguera nos impidió ver esa terrible idolatría?

¡Me adhiero al Padre revelado por Jesús en la parábola del hijo pródigo! ¡Creo en el Dios Amor que no necesita para perdo-nar ni pagadores, ni justificadores, ni expiaciones, ni holocaus-tos, ni sacrificios! Mi Dios es fina lluvia templada que se derra-ma constantemente sobre sus sedientas criaturas. Es el calor que necesita mi piel, la luz que ansían mis ojos, la música que sosiega e inunda mi ser. Es el perfumado horizonte de flores que busca mi corazón. Es la Felicidad plena que creó al hombre para hacerle partícipe de su felicidad. *Es pura Gratuidad que no espera respuesta, solo anhela que su regalo haga feliz al otro.* No hay precios que pagar, no hay expiaciones que colmar.

¿Entonces, la venida de Cristo para qué? Para que no perda-mos el regalo. Para que no mendiguemos comida de cerdos te-niendo un Padre millonario. Dios nos creó libres «a su imagen y semejanza» (Gn 1,26) pero elegimos emplear ese don contra nosotros mismos. Huimos de nuestra humanidad y nos con-vertimos en alimañas *(«homo homini lupus»* decía ya el come-diógrafo Tito Marcio Plauto allá por el 200 a.C.). Contagiamos nuestras erradas decisiones a las generaciones siguientes. Y nos fuimos hundiendo en la violencia, el temor, la oscuridad y la desesperación. El Amor gratuito de Dios no podía quedar indi-ferente y decidió «recrearnos», enseñarnos a ser humanos.

Para eso viene el Hijo del Hombre, el modelo, para devol-vernos nuestra identidad y, con ella, el mapa de la felicidad. Lo dice Juan maravillosamente: «Tanto amó Dios al mundo que envió a su Hijo único, para que quien crea en Él no perezca, sino que tenga vida eterna» (Jn 3,16). Creer significa confiar, seguir, adherirse a la persona y al mensaje. Tener vida significa crecer, realizarse, avanzar hacia la felicidad para la que fuimos creados. Por eso *la salvación no está en la cruz, sino en el seguimiento del Salvador*: «Yo soy el camino, la verdad y la vida» (Jn 14,6).

Él nos reveló el Rostro en quien confiar y el Camino para el encuentro. Él vino a iluminar las tinieblas de este mundo, a abrirnos los ojos, a tomarnos de la mano y convertirse en nuestro lazarillo por puro amor, por pura gratuidad. Lo dice expresamente el cántico de Zacarías: «Por la entrañable misericordia de nuestro Dios, nos visitará el sol que nace de lo alto, para iluminar a los que viven en tinieblas y en sombras de muerte, para guiar nuestros pasos por el camino de la paz» (Lc 1,78). ¿Tan difícil nos resulta creer en un Dios perdidamente enamorado de sus criaturas? ¿Un Dios hecho manos para sostener nuestra inseguridad, hecho peregrino para acompañar nuestro camino, hecho sol para iluminar y calentar nuestras vidas; un Dios que clama por sus criaturas hasta el punto de «correr el riesgo» de humanarse para enseñarnos a ser humanos? También está escrito: «Y la Palabra era Dios... Ella contenía vida y esa vida era la luz del hombre; esa luz brilla en las tinieblas, y las tinieblas no la han comprendido» (Jn 1,1-5).

¿Y la pasión y muerte? De ninguna manera son divinas, ni sagradas. Son hechura de nuestras manos homicidas, como lo son «las crucifixiones» a que hoy sometemos a tantos hermanos nuestros. Son nuestra terrible respuesta al que viene a ayudarnos. Nos lo escribió Juan: «La luz verdadera, la que alumbra

a todo hombre, estaba llegando al mundo. En el mundo estuvo y, aunque el mundo se hizo mediante ella, el mundo no la conoció. Vino a su casa, pero los suyos no la recibieron» (Jn 1,9). Lo cuenta el mismo Jesús en la parábola de los viñadores homicidas (Mt 21,33). *No existe una cruz redentora querida por Dios.* Él aborrece el sufrimiento de su Hijo y de sus hijos. Existe el horror de la cruz con la que aplastamos al Justo, al Bueno, al Pacífico, en contra de la voluntad de Dios, para proteger —terrible y vergonzante paradoja— la religión (los religiosos de hoy deberían meditar seriamente esta historia).

Ante nuestra libertad criminal, Dios pudo quitárnosla de un plumazo («¿crees que no puedo pedir ayuda a mi Padre que me enviaría doce legiones de ángeles?» –Mt 26,53–). Hubiese sido la destrucción del hombre porque sin libertad dejamos de ser humanos. Su obra creadora hubiese fracasado. La respuesta no fue fulminarnos sino enseñarnos, cogernos de la mano. Y ahí entra la pedagogía del Crucificado: «vencer el mal con abundancia de bien» (Ro 12,21). Ante la atrocidad de nuestra libertad deicida, *Él certifica con su sangre el contenido de su predicación,* los valores que mantuvo siempre, incluso ante una muerte atroz: paz, amor, verdad, confianza, perdón, fortaleza, oración, aceptación, etc. Y se convirtió así en ejemplo, en camino, en luz y en fortaleza para tantos mártires posteriores y para todos los que hoy pretendemos seguirle.

La muerte del Señor no tiene ningún sentido expiatorio, ni salvífico, ni sacrificial, ni perdonador. Eso es colgarle a Dios nuestro crimen, como si Él nos exigiera la sangre de su Hijo para perdonar y salvar. El Padre, que yo vislumbro, nos tiene perdonados desde la eternidad. Lo que quiere («su voluntad») es que nos abramos a ese perdón, soltemos nuestros fardos y caminemos ligeros a su encuentro. En resumen: la pasión y muerte son el testimonio extremo y la rúbrica final del Camino, de la Verdad y de la Vida (la «Vida de Dios», el «Reino», que Él nos reveló y al que vino a llamarnos). ¿Cómo no hemos acertado a comprender todo esto?

Muchas veces nos quedamos en la sensiblería y el dolor de la cruz; nos estremece tanta crueldad. Pero no profundizamos en las lecciones que en ella nos dejó el Crucificado. En la cruz existe un lúgubre *anverso*: es el instrumento de *tortura abominable* con el que el poder religioso y sus seguidores ciegos condenan al Justo. Una vez más matamos a los profetas... ¡Cuánto necesitamos meditar esta realidad y olvidarnos del «dios sádico» que reclama dolor y sangre para perdonar! ¡Qué pocos aciertan a ver en la cruz nuestra espeluznante obra, repetida a lo largo de los siglos con el mismo falso argumento: «la voluntad de Dios»! ¿Qué voluntad y qué dios?

Pero la Cruz —con toda lógica «escándalo para los judíos y necedad para los griegos» (1Co 1,23)— tiene un *reverso* luminoso que se nos resiste: la Cruz es la *síntesis de los valores del Crucificado*, de todo aquello por lo que se deja matar. Por eso es el símbolo de los cristianos, el resumen de toda su doctrina. Por eso no puede llamarse cristiano el que porta o besa una cruz, se cree salvado, repite unos ritos, pero no se conduce de acuerdo a los valores implícitos en ella. La Resurrección probará que esos valores son el camino del triunfo definitivo.

Y le llamamos Redentor porque ciertamente nos redime de nuestra ceguera, de nuestros temores, de nuestra desesperanza, de nuestro fracaso como seres humanos. Su dolor resucitado, además de certificar el mensaje, es consuelo y esperanza para los que sufren, en cualquier tiempo, bajo las garras del mal: «No tengáis miedo de los que matan el cuerpo, pero no pueden matar el alma» (Mt 10,28).

El corazón maternal de Dios no podía renunciar a su deseo de hacernos felices. Esa es la finalidad de la Creación, de la Encarnación y de la Redención. Ese es el regalo de su gratuidad. Quien estúpidamente lo rechaza en esta vida tendrá que rehabilitarse en la otra, tendrá que hacer la dolorosa gimnasia de convertirse en humano y sufrir indeciblemente al darse cuenta de que rompió su décimo premiado. La posibilidad de ser feliz está indisolublemente ligada a la naturaleza humana. Un animal podrá estar satisfecho pero nunca feliz. Nadie que renuncie a la «imagen y semejanza», inmersa en su humanidad, podrá encontrar la felicidad. Por eso la parábola del hijo pródigo —síntesis de todo el Evangelio— es una historia de gratuidad, libertad errada y felicidad recuperada: «volveré junto a mi padre» (Lc 15,18).

Ni salvados, ni redimidos, pero sí iluminados, amados, llamados, atraídos, esperados y abrazados. De ti depende caminar el camino de tu redención, tu salvación, tu humanización y tu felicidad. «A los que la recibieron (la luz de la Palabra) les hizo capaces de ser hijos de Dios» (Jn 1,12). Eres tú el que has de abrirte a recibir esa Luz, caminar hacia tu plenitud (redención) y no dejar de buscar ese Amor gratuito que te llama «hijo», hijo querido.

También puedes alejarte, despreciar «tu herencia» y hacer la experiencia de sobrevivir pasando hambre entre los puercos. ¡Es cosa tuya! Ése es el misterio de la libertad y de la redención. El camino está trazado y bien iluminado, de ti depende tomarlo o rechazarlo. Cuando decidas tomarlo, Él siempre te acompañará con abrazos florecidos y besos horneados.

¿A QUIÉN ORAMOS?

ERRORES EN LA ORACIÓN DE PETICIÓN

Un amigo mío me confesaba: de niño aprendí que «orar es levantar el corazón a Dios para pedirle mercedes»; de mayor he comprendido que «orar es fabricar "mercedes" para ofrecérselas a Dios». Tras el chiste, hay mucha teología de la buena.

En nuestro subconsciente late la idea de que Dios está en las alturas y hay que alcanzarle con esforzadas oraciones para que nos haga llegar su favor desde allá arriba. Estoy convencido de todo lo contrario: Dios es la cercana luz que quiere traspasar nuestras oscuras barreras y atraernos a sus brazos. *Somos nosotros los que tenemos que dejarnos alcanzar* y no a la inversa. Es Él quien llama «con gemidos inenarrables» (Ro 8,26) a su desorientada y amadísima criatura: «Estoy a la puerta llamando: si me oís y me abrís, entraré en vuestra casa y comeremos juntos» (Ap 3,20). Solo hay que abrir y dejarle pasar.

Habitualmente pretendemos que nuestra oración mueva a Dios y nos resuelva los problemas, mientras nosotros esperamos el favor o el milagro sin utilizar nuestros dones, sin saber siquiera que los tenemos. Con demasiada frecuencia acudimos a la oración de petición sin acertar a pasar de ahí o, lo que es mucho peor, sin percatarnos de que oramos a los ídolos. Citaré algunos, solo como ejemplo:

— El *dios de la manga*, al que imaginamos en el Olimpo, distraído, absorto en sus cosas, incluso encolerizado por nuestros pecados. Y necesitamos llamar su atención, tirarle de la manga, para que se acuerde de nosotros y nos escuche: «¡Eh, que estamos aquí, auxílianos!». O como decimos en las preces litúrgicas: «Te rogamos, óyenos». Pero los problemas no se resuelven e inconscientemente nos vamos convenciendo de que es sordo. Incluso hay quien habla del «silencio de dios»; también es mudo.

— El *dios grifo*, que nosotros abrimos a nuestro antojo con la oración y se cierra automáticamente cuando no nos acordamos de pedir. Solo obtendremos el líquido deseado si apretamos el botón o giramos la llave. Si no responde a nuestra petición, pensamos que es un mal grifo, que está seco o que otros —más buenos— le han agotado.

— El *dios negociador*, al que ofrecemos algún sacrificio, alguna promesa, alguna vela, a cambio de la deseada concesión. Negociamos de mil maneras para conseguir aquello que deseamos. Negociamos incluso con nuestro dolor: si me disciplino o uso cilicio o camino de rodillas, seguro que le conmuevo.

No nos damos cuenta de que esos son dioses falsos, ídolos, que ni ven, ni oyen, ni entienden. El Dios verdadero solo quiere nuestro bien y nuestra felicidad sin precio alguno, totalmente gratis. *Basta con que lo busquemos por el camino correcto y nos dejemos inundar* porque «mi yugo es suave y mi carga ligera» (Mt 11,30).

Hace poco leí en la portada de una revista católica algo que me estremeció: «¡Un milagro arrancado a Dios a base de oración!». ¿A qué «dios de granito» ora esa gente? ¿Cómo es posible pensar que hay que alcanzar la mano de Dios con escoplo y martillo? Yo creí que estas cosas no podían siquiera pensarse en nuestra Iglesia, y mucho menos publicarse.

El Dios en quien yo creo declara abiertamente: «encuentro mis delicias con los hijos de los hombres» (Pr 8,31). Nos creó con todos los recursos, nos ha dado preciosos dones, que debemos descubrir y explotar. *Somos nosotros los que hemos de movernos*, conocernos, hacer fructificar nuestros talentos, los que Él nos regaló cuando nos pensó desde la eternidad. Nuestro Dios, normalmente, no nos da peces, sino que nos proporciona la mejor caña (nuestros dones personales) y nos enseña a pescar (con su vida, su palabra y sus luces puntuales). Decía Martin Luther King: «Dios, que nos ha dado la inteligencia para pensar y el cuerpo para trabajar, traicionaría su propio propósito si nos permitiese obtener por la plegaria, lo que podemos ganar con el trabajo y la inteligencia».

Y en Mateo se lee: «No todo el que dice "¡Señor! ¡Señor!", entrará en el reino de Dios, sino el que hace la voluntad de mi Padre celestial... El que escucha mis palabras y las pone en práctica se parece a un hombre sensato que ha construido su casa sobre roca. Cayó la lluvia, se desbordaron los ríos, soplaron los vientos y se echaron sobre ella; pero la casa no se cayó, porque estaba cimentada sobre la roca. Y todo el que escucha mis palabras y no las pone en práctica se parece a un hombre insensato que ha construido su casa sobre arena. Cayó la lluvia, se desbordaron los ríos, soplaron los vientos y se precipitaron sobre ella, la casa se cayó y se arruinó totalmente» (Mt 7,21).

Son por tanto las obras, las actitudes, la «decidida decisión de volver al Padre» lo que hará nuestra vida sólida como una roca y exitoso el camino de regreso. Nuestra apertura interior a su llamada, la andadura decidida y esforzada hacia sus brazos, *es lo que conseguirá colmar nuestros anhelos.* No el palabreo rutinario e interesado.

Juan nos advierte: «Todo lo que pidamos, Él nos lo concederá porque guardamos sus mandamientos y hacemos lo que le agrada» (1Jn 3,22). Es decir, el resultado está ligado a la aceptación de su maternal cuidado, de su amor gratuito, lo mismo que la luz y el calor están asegurados para quien se expone al sol. Mateo insiste: «Al rezar, no os convirtáis en charlatanes como los paganos, que se imaginan que serán escuchados por su mucha palabrería. No hagáis como ellos, porque vuestro Padre conoce las necesidades que tenéis antes de que vosotros le pidáis» (Mt 6,7).

No, nuestro Dios no es un grifo, ni un buhonero de feria con el que se pueda hacer cambalache. Sería un dios muy pequeño. *Nuestro Dios es un torrente* que se vierte permanentemente sobre nosotros. ¿Qué hacer para obtener su agua? Abrirse, ensanchar el recipiente, vaciarse de estorbos, reconstruir las grietas. Si no, estarás bajo el torrente pasando sed o recogiendo tu pequeñísima medida o perdiendo al instante lo recibido por tus múltiples ranuras...

Afirmaba san Ignacio: «Haz las cosas como si todo dependiera de ti y confía en el resultado como si todo dependiera de Dios». Y san Agustín es todavía más rotundo: «La oración no es para mover a Dios, sino para movernos a nosotros» *(Carta a Proba).*

Cuando hablo o escribo estas cosas siempre hay alguien que pregunta: ¿Entonces por qué dice el evangelio «pedid y recibiréis»? Vamos a verlo.

Beneficios de la oración de petición

Ciertamente, la oración no es para mover a Dios, sino para movernos a nosotros, como afirma rotundamente san Agustín. ¿Contradice eso al Evangelio? En él se lee claramente: «Pedid y se os dará; buscad y encontraréis; llamad y se os abrirá. Porque el que pide recibe; el que busca encuentra, y al que llama se le abre» (Lc 11,9).

Para empezar, esas palabras me parecen una *preciosa llamada a la constancia*. Nada se construye sin permanecer en el proyecto. No se puede llegar sin permanecer en el esfuerzo de caminar. Quien pide, busca o llama está identificando sus aspiraciones, sus objetivos, y es lógico pensar que estará dispuesto a poner los medios para alcanzarlos. Lo confirma la parábola del juez injusto (Lc 18,1). Otra lección magistral sobre la perseverancia y no un retrato del rostro de Dios, en nada parecido a un juez injusto y comodón.

La súplica tiene además otras ventajas:

— *Reconocemos a Dios, su existencia, su superioridad, su cuidado.*

¿Qué gritamos instintivamente cuando tenemos un dolor o un disgusto? «¡Ay madre!» Aunque ella no esté, incluso aunque haya muerto. Llamamos instintivamente a nuestro apoyo, nuestro auxilio, nuestro amor. Eso nos consuela y sostiene sicológicamente.

Cuando una parturienta grita no es que pida nada, puesto que está rodeada de sus cuidadores y tal vez de su esposo. Grita por el esfuerzo de alumbrar una vida. Es el instintivo desahogo, el impulso para su esforzada aventura. Algo parecido ocurre cuando suplicamos a Dios: «Gritamos mientras empujamos». Quien invoca se hace consciente de esa Presencia invisible que nos rodea, nos tutela y nos impulsa desde dentro. Él conoce, mejor que nadie, nuestra sicología y por eso nos dice «pedid», agarraos, cogeos de mi mano y... caminad.

— *Reconocemos nuestra limitación (debilidad, pobreza, fragilidad, ceguera, inconstancia...) y nuestras aspiraciones (deseamos ser buenos, generosos, pacíficos, justos, fuertes, sabios...).*

Eso es un gran avance porque nuestra vida suele estar embarrada en la inconsciencia y solo las necesidades instintivas nos son evidentes. El identificar nuestras aspiraciones y necesidades es el primer paso para poner los medios y actuar. El más importante: mantener el rumbo. La oración nos recordará que no estamos solos, que Él rema a nuestro lado, nos sostiene, nos ilumina, nos abraza y nos protege siempre, siempre, siempre.

— *Reconocemos las necesidades de los otros y nuestra aspiración a colmarlas.* Así expresamos nuestra solidaridad, nuestro cuidado, nuestro amor gratuito. Eso abre el corazón, amplia nuestra mirada, pone nombre a la ayuda y nos predispone a actuar.

La «oración de petición», cuando la vivimos bien, nos pone en nuestro sitio: seres pequeños y limitados pero llamados a la inmensidad; oscurecidos pero en camino hacia la luz; temerosos pero a la conquista de seguridad; apretados por el tiempo pero con vocación de eternidad; sumergidos en los vaivenes de la vida pero abrazados por la paz en nuestro mismo centro.

La súplica nos alienta, nos motiva, nos sumerge en las aspiraciones profundas, nos ayuda a conocernos, a acercarnos al tesoro interior. Quien aspira —por ejemplo— a ser pacífico pedirá paz. Con esa petición estará descubriendo y alimentando la paz de su interior que clama por crecer y manifestarse. Podría afirmarse: «Dime qué pides y te diré quién eres».

En síntesis, la eficacia de la oración —de toda oración— se manifiesta en estos tres movimientos: *actuar* frente a lo remediable, *aceptar* lo que no tiene solución y dejarse *envolver*, es decir, dejarse acoger, amar e impulsar por esa Madre Dios que nos habita y sostiene. Nadie conoce los planes divinos, se nos van mostrando a medida que caminamos: «Mis planes no son vuestros planes, ni vuestros caminos mis caminos» (Is 55,8). Pero lo que nos da seguridad, paz y gozo es sabernos dando pasos de regreso al Padre, estar convencidos de que «todo es para bien de los que aman al Señor» (Ro 8,28). Eso es realmente lo que «recibiréis» y no exactamente el objeto de vuestro capricho, necesidad o congoja. Se explicita en este otro pasaje: «Pedid y recibiréis, para que vuestra alegría sea completa» (Jn 16,24).

Las consecuencias de la oración son alegría, paz interior e impulso para actuar, y no necesariamente que el niño apruebe o te toque la lotería. En realidad nos está diciendo: «abridme y os saciaré», equivalente al «estoy a la puerta y llamo...» (Ap 3,20). Cuando uno se decide a abrirle de verdad, la oración de petición decae y pierde casi todo su sentido. Entonces rezas: «Señor ten piedad»; pero en realidad estás sintiendo: «Señor abrázame». Y en verdad que te sientes «abrazado» y «abrazándole».

Estoy hablando, por supuesto, de la oración de petición interiorizada, sentida, personalizada. La otra, la rutinaria, distraída o interesada, sirve para muy poco o para nada. Y, por supuesto, la superstición es pura imaginación baldía (cadenas de fotocopias o PPS, comerse o coleccionar imágenes, los fetiches religiosos, los milagros garantizados, las canonizaciones a la carta, etc.). Hacer «oración de petición» es *zambullirse en el regazo del Padre* y dejarse sentir su misericordia, su cuidado, su amor. Como el grano de trigo se hunde en la madre Tierra para descubrir su potencial de vida, así el ser humano necesita sumergirse en el corazón de Dios, sentirse ínfimo y efímero ante su Creador, para poder abrirse a su impulso de Vida.

Cuando pedimos: ¡Señor ten piedad!, no es para arrancarle a Dios la piedad. Es para sentirnos pequeños y abrirnos a la piedad que el Padre nos regala permanentemente. Necesitamos ponernos de rodillas y suplicar, gemir, llorar... No para conseguir nada, sino *para abrirnos al torrente que nos regenera, fortalece y alimenta*, para sentirnos protegidos por el abrazo de Dios. «Nunca es más grande ni más fuerte el ser humano que cuando está de rodillas ante su Hacedor». Para eso es el «pedid y recibiréis». Lo que no niega otras efectos que «se os darán por añadidura» (Mt 6,33).

Por desgracia, muchos cristianos pretenden conseguir de Dios lo que ellos mismos no quieren hacer, lo que no se esfuerzan por conseguir. En realidad pretenden chantajearle, negocian con Él, intentan manipularle: si me concedes esto, empezaré a ser bueno. Si me curo, no volveré a fumar. Si me concedes dinero, empezaré a trabajar. Si me das, me pongo en camino... Cuando el proceso humano es el inverso: *Si te pones en camino llegarás, si cambias de vida te irá mejor.*

Finalmente conviene advertir que la «oración de petición» solo es la bocamina. Habrá que adentrarse en la «oración de impregnación» —otros le dan nombres distintos— para alcanzar lo mejor de nosotros mismos, nuestras riquezas interiores, nuestro «santa santorum». Porque *solo en lo profundo se produce el encuentro y el abrazo con el Dios que nos inunda.* Quien se conforma con la «oración de petición» (habitualmente oración vocal) se ha sentado al borde de la bocamina sin llegar a tocar los tesoros de su yacimiento interior.

Trataré en el próximo artículo de un tipo de súplica sobre la que me han preguntado: la intercesión. En mi opinión desvirtúa el verdadero rostro de Dios. Lo someteré a vuestra consideración.

LA MAL LLAMADA INTERCESIÓN

Tengo que confesar que, cuando oigo hablar de intercesión, me chirrían todos los goznes. Interceder, en nuestra preciosa lengua española, significa «hablar en favor de otro para conseguirle un bien o librarlo de un mal».

Cuando intercedemos por otro nos comportamos como si Dios fuese un potentado, que no conoce a nuestro colega, y «se lo recomendamos» para que le haga algún favor. Estamos rebajando a Dios a la estatura de un «poderoso hombrecillo» y a nuestro amigo a la condición de «desconocido» en vez de «hijo». ¡Qué dos errores tan enormes! Si estuviéramos seguros de que Dios es Padre, que nos conoce y cuida uno a uno («hasta los cabellos de vuestra cabeza están todos contados» –Lc 12,7–), que se vuelca permanentemente por mí y por el otro, nos daría vergüenza recomendar a alguien a su propio Padre.

Por eso no creo en la oración de intercesión. A lo más que llego es a musitar con rubor: «Señor que aprenda a acogerle, amarle y apoyarle como Tú lo haces». Tampoco creo en la intercesión de los santos o de la santa Madre. No necesitamos intermediarios, recomendaciones, ni enchufes. (Aquí algunos me mandarán a hacer gárgaras, pero les animo a seguir leyendo).

Dios nos quiere más que todos ellos juntos porque su amor es infinito y el de ellos finito. No necesita que nadie se lo recuerde tirándole de la manga. *La gran ayuda de los santos y de la Madre es su ejemplo.* Son las montañas del horizonte que nos ayudan a orientarnos, los indicadores que jalonan y animan nuestro camino. A veces necesitamos besar el indicador agradecidos, incluso descansar a su sombra, pero es de necios agarrarse al indicador y dejar de caminar. Tan necio como intentar beber del cartel que te señala la fuente. Tan necio como confundir al lazarillo con la luz.

El origen de la intercesión me parece verlo —un caso más— en las adherencias judías del cristianismo y especialmente en el principio de expiación: «la justicia siempre exige reparación». O expías tú o expía otro por ti. O ruegas tú o ruega otro por ti. Hay que saturar al Poderoso con méritos, reparaciones y súplicas para conseguir borrar su enfado y que nos sea propicio. *No hemos asimilado el rostro del Padre revelado por Cristo.* No le hemos hecho caso: «a vino nuevo, odres nuevos» (Mt 9,17); por eso hay tanto Evangelio vertido por el suelo. Nos mantenemos atados al temor, a la medida, al «diente por diente». No nos hemos abierto al Dios Amor, al Dios Padre y Madre que nos busca insistentemente. Todavía pensamos que hay que enviarle poderosos emisarios, personalidades influyentes, repetidas solicitudes, para doblar su brazo y obtener su favor.

Yo *entiendo la intercesión a la inversa*: es el Padre el que nos llama, el que nos envía mensajeros y lazarillos que nos despierten y orienten. Nuestra Madre, los santos y cuantos nos quieren bien, interceden ante nosotros con su ejemplo y sus palabras. Cuando nos acercamos a ellos nos gritan por dónde se regresa al Padre, nos convencen de la certeza de su amor. Nos repiten: «Haced lo que Él os diga» (Jn 2,5), por ahí se llega. El favor de Dios está garantizado. No es necesario que nadie le empuje para que salga a buscarnos. Él siempre nos espera en el camino con los brazos abiertos y la mesa puesta. No lo digo yo —mero copista— lo afirma el Evangelio.

Nuestro Dios, el de Jesús de Nazaret, el de la parábola del hijo pródigo (Lc 15,20), no necesita intercesores. ¿Nos lo creeremos algún día? El mismísimo Señor en su despedida nos lo dejó bien claro: «Yo no os voy a decir que rezaré por vosotros al Padre, porque el mismo Padre os ama, ya que vosotros me habéis amado y habéis creído que yo salí de Dios» (Jn 16,26).

Por tanto ni intercesión, ni intercesores. Desde que lo he descubierto, mi relación con la Madre y los santos es más cercana, más fluida, más amorosa. Ya no les pido, ni siquiera les hablo, les escucho y con ellos adoro: «Glorifica mi alma al Señor y salta de júbilo...» (Lc 1,46). Me he dado cuenta que *la oración no consiste en «pedir» sino en «abrir» a quien está deseando entrar.*

Cuando se trata de orar por otro ya no «intercedo» —pretensión fatua— sino que me dejo empapar de fraternidad, amor, ayuda... hacia esa persona o grupo. Ahora sé que «el mismo Padre les ama», no necesitan influencias. Cuando vivo el amor a una persona y se lo cuento al Señor, no consigo nada especial del cielo. *Solo consigo que mi amor se ensanche, crezca y se oriente a esa persona concreta.* Si esa persona está presente en mi vida, sin duda notará mi amor en múltiples detalles (trato, sonrisa, apertura, paz, escucha, apoyo, etc.). ¡Mi oración ha sido eficaz! ¡He ayudado al otro! Si esa persona está ausente, la fuerza de mi amor le llegará secretamente. Las vivencias espirituales se transmiten a más velocidad que la luz. Si la telepatía —por ejemplo— está demostrada, ¿cómo no creer en las energías espirituales?

Cuentan que las lágrimas de santa Mónica conmovieron a Dios y le concedió la conversión de su hijo Agustín. ¡Totalmente falso! Fue el amor y la insistencia de una madre lo que movió al hijo a abrirse al Dios que su madre reflejaba. Y, ya se sabe, en cuanto Él encuentra un resquicio... nos inunda. Disparata quien afirma que «arranca» favores a Dios. Nada hay que arrancar, lo tenemos todo preconcedido porque Él está pirrado por nosotros. Somos nosotros los que tenemos que arrancarnos para correr a sus brazos.

Pretender transformar o conmover a Dios para que nos sea favorable es un tremendo error y una infantil idolatría. Somos nosotros los que debemos transformarnos en «su imagen y semejanza» y conmovernos ante el bien que evitamos y el mal que promovemos o no frenamos. El éxito de la oración se recoge en esta sencilla ecuación: «oración = transformación». Cuando decididamente busco que el bien me inunde, estoy creciendo yo y llamando al corazón del otro. Si abre, mi oración será eficaz también para él. Cuando la oración hace crecer el bien en mí, redunda en el retroceso del mal en el otro. Cuando ambos nos sumergimos en el Bien, la oración nos convierte en racimo que madura al Sol. Es la «comunión de los santos», «vencer el mal con abundancia de bien» (Ro 12,21).

La oración por otro no es un triángulo: yo suplico al cielo para que ayude al otro. Más bien es una conexión horizontal entre «yo» y el «otro». Se parece a ese infantil juego del agua en el que cargamos nuestros globos o juguetes en el mar y nos empapamos con algazara. El frescor y la caricia del agua nos empuja a sumergimos con alegría en el inmenso mar cercano, siempre abierto y disponible.

De alguna forma, los que leéis estas mis «cuentas de conciencia» sois mi racimo. El sol lo tenemos asegurado. Falta que nosotros nos dejemos transformar en alimento dulce, nutritivo, embriagador, y nos lo transfiramos. La oración —toda clase de oración— o es transformante o no es nada. Por eso es esencial preguntarse: ¿A quién estoy orando? ¿Con quién conecto? ¿Con el lejano «ídolo cicatero» al que pretendo arrancar algún favor? ¿O con el Dios torrente cuyo amor gratuito se está volcando permanentemente sobre mí?

Insistiré una vez más: nuestro Dios no necesita mediadores, ni influencias, ni expiaciones, ni holocaustos, ni sacrificios. *Somos nosotros los que necesitamos despertar de nuestra inconsciencia*, de nuestro aletargado sueño, de nuestro complejo de esclavos. Nuestro Dios es un torrente, una catarata infinita, la atmósfera que nos da vida. Vivimos por Él, con Él y en Él, llamados por nuestro nombre, deseados, esperados, amados y abrazados... Nuestra tragedia es que no lo creemos, que huimos, que vivimos escondidos como miserables cuando somos herederos enormemente ricos. Es realmente una tragedia, una enorme tragedia de la que podemos y debemos despertar.

Termino mis reflexiones sobre la «oración de petición». Dios dirá si he de continuar. Mientras tanto, mi oración —hecha amor que desea apasionadamente el bien de cada uno— os acompañará siempre.

Aclaraciones solo para adultos

¡Pues sí que se ha armado, oiga! Mis reflexiones han levantado ampollas y me han llovido improperios. Aunque fueron muchas más las bendiciones. Me ha causado especial dolor la acusación de escandalizar a «los sencillos», porque camino entre ellos. *Me es imposible callar «lo que he visto y oído»* (Hch 4,20) precisamente porque ansío ayudar a «los hambrientos», a los que buscan con sencillo corazón. Los hartos, estáticos en su hartura, llenos de sabiduría y rutina, inmunes a toda conversión, no me interesan. No es mi carisma.

Confieso mi sorpresa por las descalificaciones, insultos, ironías y ataques a mi catolicidad. Quienes así se manifiestan se sitúan fuera de la caridad y, por tanto, fuera del Evangelio. Aunque debo agradecerles sinceramente su vacuna contra toda vanidad.

Mis artículos se publican para hacer el bien. Los escribo con el corazón más que con la cabeza, desde experiencias más que desde teoría o ciencia. Son «confesiones de un pecador en proceso de conversión», con muchos años y errores a su espalda. ¡Que nadie se ofenda, por favor! Si no te hace bien lo que escribo, deséchalo. ¡Busca lo que te contagie vida! No dicto lecciones y mucho menos dogmas. No hago más que exprimir mis pequeños descubrimientos. Pero vayamos a las siete aclaraciones.

1. *No descalifico la «oración de petición».* Es imprescindible para la fragilidad y pequeñez del ser humano. El problema está en cómo oramos, qué pedimos y a quién. Es esencial ser conscientes de todo eso. La oración de petición no solo es buena, puede ser óptima. Hay oraciones sublimes bajo apariencia de petición, como el «Veni Creator Spiritus», la secuencia «Veni Sante Spiritus», las invocaciones «Alma de Cristo santifícame», la oración al Crucificado «Miradme oh mi amado y buen Jesús», la de san Buenaventura «Traspasa dulcísimo Jesús y Señor mío», etc. Hoy apenas se usan, las consideramos demasiado almibaradas y anticuadas. Sin embargo, son un verdadero crepitar de corazones incendiados, expresión de aspiraciones profundas de enamorados.

Vengo defendiendo —aunque parezca un contrasentido— que en la «oración de petición» más que pedir hay que *expresar* nuestras aspiraciones y nuestras necesidades humanas. De esa manera las *aspiraciones* toman volumen, se expanden, crecen y, si es en comunidad, se contagian. Las *necesidades*, al expresarlas, contarlas y sacarlas fuera, pesan menos, uno se desahoga y descansa en quien nos cuida siempre. Eso nos prepara para *actuar* o *aceptar,* verbos que olvidamos con frecuencia. Esto no es teología es pura sicología. Es justamente lo que hacen los que van al sicólogo. ¿Hay algún sicólogo mejor que el nuestro?

Dios no necesita nuestras oraciones, ni le convencen de nada, ni le mueven a actuar de otra manera, ni va a retirarnos su favor sin ellas. *Somos nosotros los que necesitamos la oración* —esa bendita sicoterapia— para apoyarnos, afirmarnos y avanzar. Los milagros ya están dentro de ti, en las potencialidades que recibiste al nacer. El «milagro de la espiga» está en el grano de trigo que se deja transformar por la vida que contiene. El «milagro de la bombilla» está en vaciarse y abrirse a la energía para incendiarse. Los milagros de los santos no son concesiones extraordinarias de lo Alto, son la manifestación de su transformación. La «imagen y semejanza» creció y les tomó, como el fuego convierte al negro hierro en pura incandescencia. *No hay posibilidad de milagro sin transformación.* Los milagros nacen de abajo, no llegan de arriba: «si tuvierais fe como un grano de mostaza, diríais a este monte: vete de aquí para allá, y se trasladaría; nada os sería imposible» (Mt 17,20). Lo que Dios quiere es que su vida —su reino la llama el Evangelio— crezca en nosotros y nos haga felices: «en cambio, buscad que Él reine y lo demás se os dará por añadidura» (Lc 12,31).

2. *No niego que haya que rezar por otros.* Lo que digo es que tendríamos que ser conscientes de a quién oramos y situarnos en coherencia. Mejor presentar al otro y nuestra aspiración a ayudarle que colgarle al Señor las necesidades del otro como si fuera un perchero milagroso. Hay que partir de la convicción (fe) de que Dios ya está volcado por el otro y no hay que conseguir nada. Más bien hay que imitar sus actitudes hacia ese hermano: «¿Además de traerte a esta persona querida, Señor, qué puedo yo hacer por ella siguiendo tu ejemplo? ¿Cómo puedo «ser» para ella tu abrazo, tu beso, tu consuelo?». Puede que nos sorprendan las respuestas.

Las súplicas (incluidas las preces de la Misa) no deberían ser para colgar de Dios las necesidades humanas y apaciguar nuestra conciencia. Deberían ser para comprometernos con las soluciones posibles hoy. *Nosotros somos las manos de Dios.* Y, como son tan pequeñas, necesitamos hacerlas crecer. ¿La manera? *Vivificar* nuestras aspiraciones identificándolas y expresándolas; *gritar* nuestro deseo de ayudar: «¡Quiero ayudar a esta persona, Señor, muéstrame cómo!».

Esa forma de pedir nos vitaliza y nos predispone a responsabilizarnos, a solidarizarnos, a *movilizar* nuestros recursos internos y externos para ayudar. Saldríamos de la oración (o de la Eucaristía) más o menos «transformados», según la intensidad con que hayamos vivido y expresado nuestras aspiraciones profundas. Por desgracia solemos salir, como entramos, «solitarios entre solitarios, codeándonos más que conociéndonos». Eso sí, con la conciencia opiada porque ya le hemos colgado a Dios o a 97 los santos nuestras responsabilidades. Eso explica tanta atonía, tanta rutina, tanto aburrimiento y tanta desbandada.

Cuando hablo de responsabilidades no penséis en grandes cosas. Somos demasiado pequeños. Se trata de dar nuestro pasico de hoy, el que podamos. Se trata de vivir lo que decimos que creemos. ¿Cuánto cuesta un beso, un abrazo, una sonrisa, una palabra de aliento, una caricia, un piropo sincero, un «estoy contigo», un «yo te acompaño a casa» o un «estamos en buenas manos»?... «Muéstrame tu fe sin obras (solo intercesión) y yo con mis obras te mostraré mi fe» (Stg 2,18).

No tiene sentido que una ola interceda ante el mar para que conceda agua a otras olas. Más bien la ola intercesora debería hacerse consciente de quién es y dónde está, para aprovechar su fuerza y levantar las olas desvanecidas en la orilla. La fe no consiste en creer que puedo *conseguir* sino en *fiarme* del Mar —en el que estoy sumergido— y apretarme, fundirme, solidarizarme, abrazarme con esas otras olas por las que me preocupo. Cualquier oración comunitaria debería ser una «sinfonía de agua» cantando al Mar.

3. *Tampoco niego la influencia de la Virgen y de los santos en nuestras vidas.* No soy un iconoclasta. Para mí, la presencia de Madre en mi vida es esencial. Lo que digo es que no son intermediarios y, por tanto, no se puede hablar de intercesión. Más que orar «a» los santos hay que orar «con» los santos. Y con Madre, por supuesto. Más que pedir hay que vivir nuestras aspiraciones con ellos y como ellos.

Nuestra Madre es justamente eso: una madre que educa, enseña, aconseja, consuela y acompaña. No es una diosa menor a la que haya que pedir milagros, ni el brazo misericordioso que

los arranca de un dios solemne y rígido. Es la Madre de nuestro Señor y nuestra, la llena de gracia, nada más y nada menos. Los «excesos católicos» en este tema propiciaron (y propician) la huida de hermanos nuestros, temerosos de caer en idolatría. Hay que reconocerlo por mucha carga popularista que tengamos en contra. Ella no es el camino, solamente quien me impulsa por Él.

Sugiero estas advocaciones que quizá algún artista se atreva a plasmar:

— Virgen del horizonte (imagen de una bellísima mujer judía, con la cabeza descubierta, ataviada para el viaje, con el brazo derecho extendido hacia un camino que se sumerge en el horizonte; en la peana esta leyenda: «Buscad su rostro»);

— Virgen de la adoración (la misma mujer profundamente postrada con este rótulo al pie: «Glorifica mi alma al Señor»);

— Virgen de la alabanza (la misma mujer con los brazos extendidos a lo alto y esta frase a sus pies: «Salta de júbilo mi espíritu en Dios mi salvador»?

Todos los que nos aman (en el cielo o en la tierra) *nunca llegarán a amarnos y estar tan cerca de nosotros como el Padre.* Ellos son solo sus imitadores. Pueden influir en nosotros pero no pueden influir en Dios porque es Inmutable. En esta afirmación —una evidencia para mí— podría resumirse todo lo que vengo diciendo sobre la intercesión.

4. *«Cada uno hace lo que puede y es muy respetable»*. Así me responde un comentarista enojado. ¡Tiene razón! No se puede hacer más que «lo posible» en cada momento. Otros me dicen que la intercesión es «de siempre» y figura citada expresamente en la Escritura. ¡También cierto!

Pero... el ser humano es progresivo, está llamado a crecer y madurar («sed perfectos...»). Las potencialidades del hombre son enormes, bastaría observar el progreso material para darse cuenta. ¿Renunciaremos al progreso espiritual? ¿Nos quedaremos en «esto es lo que me enseñaron mis abuelas», «se ha hecho o dicho así siempre»? Estamos llamados a crecer —las citas del Evangelio serían interminables—. Y crecimiento significa movimiento, cambio, progreso, maduración. El inmovilismo, bajo cualquier ropaje sagrado o profano que se esconda, es totalmente negativo para el cuerpo y para el alma. Lo que hoy no veo o no puedo, tal vez lo vea o pueda mañana. El cristianismo es «camino». No es posible permanecer en camino sin caminar. El cristianismo es «verdad». No eres de la verdad si no te «desnudas» y te dejas penetrar por ella hasta lo más íntimo, aun «soltando» los libros. El cristianismo es «vida». No estás vivo si no creces y maduras.

Hay quienes ven en la Escritura un límite, una gran cárcel, y la utilizan para encerrarse y encerrar a otros. Incluso para amenazarles, injuriarles, despreciarles y agredirles. No practican la Palabra sino «el palabrazo» que es, justamente, la negación de la Palabra. Yo estoy convencido de que *la Escritura es una oportunidad,* un inmenso camino por recorrer, un precioso canto a la luz, la libertad y el amor, genes dominantes recibidos del Padre. Hay quien confunde la perla —me decía una lectora uruguaya inteligente— con la rugosa valva, la ostra o la baba.

Nos lo dejó dicho el Señor: «Muchas cosas tengo que deciros todavía, pero ahora no estáis capacitados para entenderlas. Cuando venga él, el Espíritu de la verdad, os guiará a la verdad completa. Pues no os hablará por su cuenta, sino que os dirá lo que ha oído y os anunciará las cosas venideras» (Jn 16,12). ¿Quién se atreverá entonces a enjaular la Luz? ¿Quién le pondrá cadenas al Espíritu?

No me preocupa que en la Escritura se mencione la judaizante «intercesión». Si descubro que esa palabra u otras me impiden *poner a Dios en el lugar supremo de mi vida,* si me oscurecen su Rostro, si me impiden ver su Amor, es que no son perla.

5. *Más reflexiones sobre la oración.* Hay a quien este artículo le ha sabido a poco y me pide más. ¡Bendita el hambre de estos hambrientos! Tened paciencia. Solo he tocado la «oración de petición». ¡Ojalá tenga luz y tiempo para escribir sobre la «oración de impregnación» o sobre la «experiencia de Dios»! No sé si lograré hacer la O con un canuto. Pero, estad seguros, si encuentro el canuto os lo pasaré.

6. *También hay quien pregunta por la santa Misa* (o me golpea con el Misal llenito de intercesiones) *y el santo Rosario.* La

santa Misa es nuestra suprema oración comunitaria, la celebración gozosa de nuestras aspiraciones, especialmente adoración, alabanza y acción de gracias. También el llanto por nuestras necesidades. No para que sean atendidas —que con toda seguridad lo están— sino para descargar el corazón y unirnos a las aspiraciones del Anfitrión. Ese doble movimiento: expresar las necesidades y adherirse a las aspiraciones del Señor, me dará luz y fuerza para los caminos a tomar. Será un baño de auténtica conversión, un «hacer y sentir en memoria del Señor». Para mí, sobran las intercesiones y la rutinaria memoria de tanto principal. Estoy convencido de que el Misal puede y debe mejorarse con oraciones más «vivas» y realistas, menos abstractas, rutinarias y anticuadas (por ejemplo, las referidas a una redención por sangre). Cabe celebrar desde el fondo con palabras preciosas —que las hay— evitando que otras te obstaculicen orar con Él, por Él y en Él.

El santo Rosario es una oración maravillosa y acumula las oraciones primarias de todo cristiano. Para mí, que crecí a los pies de la Virgen del Rosario, tiene todavía más carga emotiva. Quien lo reza solo con los labios o solo pasa cuentas, sacará poco provecho. Más fruto sacará quien reza esa «salmodia popular» mientras su corazón se sumerge en ese Padre, al que invoca, o paladea la compañía de la Madre.

La llamo «oración de tren» porque se repite y avanza sobre raíles seguros. Cuando, siguiendo el consejo evangélico, bogas «mar adentro» (Lc 5,4) ya no te sirve el tren y cambias los raíles por el equipo de inmersión. Si la oscuridad, viento o tormenta, te impiden navegar, puede que vuelvas a ese tren seguro y te dejes llevar.

Me han hecho notar que el «Ave María» contiene una intercesión: «ruega por nosotros». En coherencia con lo expuesto, sería más adecuado «ruega con nosotros». No rezamos a María para conseguir (mediación) sino que acudimos a Madre para que nos acompañe y enseñe a sumergirnos en el Dios que nos abraza desde dentro. Un servidor reza así: «Santa María, Madre de Dios, ruega con nosotros tus hijos, ahora y en la hora de nuestra muerte. Amén».

Alguien me cita el «Yo pecador» (oración oficial porque está en el Misal). Allí se dice: «Por eso ruego a santa María, siempre Virgen, a los ángeles, a los santos y a vosotros, hermanos, que *intercedáis por mí* ante Dios, nuestro Señor». A la luz de lo dicho, es evidente que sería mejor: «que me ayudéis a convertirme a Dios, nuestro Señor».

Tengo la esperanza de que estos y otros brotes verdes del Pueblo sean pronto canonizados, es decir, recogidos por los pastores y propuestos a toda la Iglesia. No esperemos a que nos alimenten solo desde arriba, como niños pequeños. Ofrezcamos a la Iglesia las espigas nuevas que brotaron en nuestros campos al calor del Espíritu. Así es como avanza nuestra comunidad a la que cada uno debería ofrecer lo mejor de sí mismo.

7. *¿Olvido la doctrina oficial?* A Pablo también le intentaron frenar los legalistas: «Este incita a los hombres a que den culto a Dios en contra de la ley» (Hch 18,13). Y escuchó esta voz: «No tengas miedo, habla y no calles, porque Yo estoy contigo» (Hch, 18,9). Yo no soy Pablo claro, pero estoy convencido de que «sus hermanos pequeños» podemos y debemos aportar a nuestra Iglesia lo mejor de nosotros mismos con valentía. La doctrina, recogida en libros, es la contabilidad pasada, el cierre anterior, la cristalización del pasado. ¿No habrá que estar muy atentos a las

novedades del Espíritu? ¿Algún católico sincero puede pensar que ya le hemos agotado? El Evangelio dice cómo actuar: «poner la luz en el candelero» (Mt 5,15).

¿Acaso tú y yo no somos Iglesia? ¿Cómo se renovará la Iglesia si cada uno no aporta su propia renovación? ¿Qué es nuestra Iglesia un cementerio de personajes célebres, de libros sabios, de rutinas multiplicadas? ¿O tal vez un Pueblo que camina, progresa, avanza, se renueva y busca apasionadamente al Padre del que nunca debió alejarse?

Los que creen que la Iglesia está asegurada por la «doctrina oficial» son unos ingenuos, razonan como terrícolas, de tejas para abajo. El seguro a todo riesgo de nuestro Pueblo está suscrito por el Espíritu Santo, *no hay nada que temer*. Solo hay que dejarse inundar y ser dóciles a ese Maestro interior que se manifiesta en las «intuiciones profundas» de quien lo busca con sincero corazón. Los libros oficiales nunca pueden ser un obstáculo, deben ser una ayuda.

¿Hay doctrina «más oficial» que el Evangelio? ¿Aquel, al que queremos imitar, fue un cultivador de ritos y rutinas? ¿O más bien un reformador, un sembrador de vida y esperanzas nuevas? ¿Puso el sábado por encima de todo o puso todo —incluso su vida— para dar vida a sus criaturas? «He venido para que tengan vida y la tengan abundante» (Jn 10,10). Que cada uno busque sus respuestas. Por mi parte, me siento orgulloso de pertenecer a un Pueblo que camina con la «gloriosa libertad de los hijos de Dios» (Ro 8,21) bajo el brazo.

Hubo un tiempo en que las letras, los libros, las autoridades, los signos suntuarios, etc. me amedrentaban, dominaban mi conciencia social o cerebral, me hacían dudar, me hacían sentirme culpable. Eran los tiempos del autoritarismo global y de mi inmadurez total. Hoy me he dado cuenta que nuestra comunidad católica no está protegida por enormes murallas (el Papa las descalificó hace muy poco), ni por mandatos severos, ni por sabidurías centenarias. He podido comprobar que *en nuestra comunidad late el Espíritu Santo*, que todo lo inunda, que todo lo ilumina, que todo lo renueva. Más que memorizar libros, necesitamos ser dóciles al Espíritu. A esa docilidad nos debe empujar —nunca frenar— la pedagogía de libros y doctrinas.

Juan Pablo II lo expresó magníficamente: «La fe se propone, nunca se impone». Si la fe no se puede imponer, menos aún la monocromía. *Nuestra Iglesia es una comunidad llena de luces, colores y carismas.* ¿Cómo pretendes tú imponer tus rígidas cuadrículas? Un profeta del siglo xx, Marcel Légaut, lo sintetizó así: «Herederos de una labor inmensa, visitados por una Presencia que no manda sino que llama. Empujados, levantados, solicitados, alzados por encima de nosotros mismos, emergiendo de la servidumbre, alcanzando la libertad. Obreros de un porvenir sin fin, inseparable de Ti, mi Dios».

No, hermanos míos, no. La «Iglesia oficial» no es para mí un ancla, ni una grúa que me mantenga en dique seco. ¡Todo lo contrario! *¡Es el velero que me invita a domar el viento, a conquistar horizontes, a descubrir al Señor en todos los rincones de la Creación!* ¡Es el velero que me permite superar el miedo a las aguas profundas y a mi propio miedo! Tal vez un tanto anticuado, con algunas tablas carcomidas y velas remendadas. Pero es mi velero, el que tengo, al que amo, el que me ha sido dado. No renunciaré a él por nada del mundo y en él gastaré mi vida.

Tengo claro que el *timón de mi vida es mi responsabilidad,* que mi discernimiento, mi libertad y mi conciencia no pueden navegar en la bodega, que debo estar alerta y gritar a mis hermanos las tierras, luces o mares nuevos que entrevea. De ellos espero lo mismo. Y todos juntos reparar y modernizar nuestro barco para llegar más lejos y abrirnos a otros hermanos cristianos. ¡Qué escándalo tanta ruptura! A veces me siento frágil, ignorante, dubitativo, inconstante, incluso retenido y apaleado. Pero me tranquiliza oír la voz de Pablo a babor: «El Señor es Espíritu y donde está el Espíritu del Señor allí hay libertad» (2Co 3,17) y a Santiago a estribor: «Hablad y obrad como quien debe ser juzgado por una ley de libertad» (Stg 2,12). Pero lo realmente definitivo es oír la dulce voz del Señor a proa: «la verdad os hará libres» (Jn 8,32), «*duc in altum*» (Lc 5,4).

La certeza permanente que habita mis artículos de religión es: *Dios nos ama infinitamente porque no puede hacer otra cosa, ya que Él mismo es el Amor.* En consecuencia doy pistas de reflexión, delato o critico algunos andamios mentales o prácticas religiosas que oscurecen u olvidan esa verdad. Si alguien cree que eso me aparta de mi Iglesia, que se haga revisar la vista por favor.

LA BENDICIÓN DEL ÁNGEL

¡Hola Clara! Soy Gabriel y vengo a ayudarte. No mujer, no te asustes. No hay nada de extraordinario en esta visita, forma parte de mi rutina. No mires la vidriera... ni la hornacina. ¡Estoy aquí, en tu cielo! ¿No llamáis cielo a la morada de Dios? Pues desde ahí te hablo. ¡Que no Clarita, que no es arriba! Te hablo desde tu interior, ahí donde bullían ahora mismo tus mejores aspiraciones. Por eso he venido. ¿No querías bendecir?

Conviene precisar bien. *Bendecir* significa «bien decir», decir bien de alguien. No de boquilla, no. Eso es palabrería, cuando no manipulación. Bendecir es *reconocer lo positivo* que hay en cada ser y decirlo, ponerle palabras, expresar nuestra admiración. ¡Ni te imaginas las bendiciones que cantamos a nuestro Padre Dios! ¡Es inevitable! Su sola presencia desata alabanzas sin fin, «su amor no solo deja sitio a cualquier otro amor, sino que le hace sitio y le da holgura... Su amor crea amor, lo mismo que su presencia crea espacio...»[30].

Escucha lo que hoy te digo en su nombre: «*Dios te salve Clara, llena eres de gracia, el Señor está contigo, bendita tú eres*

---

[30] José M. CABODEVILLA en *365 nombres de Cristo*, BAC, Madrid, 1997.

entre todas las mujeres, y bendito sea Dios que habita dentro de ti».

No te sonrojes, mujer, esa eres tú: graciosa y bendita. Así te creó y así te ve el Padre. Ya sé que os habéis deslizado por una *religión negativa* y esta bendición os asusta. Pero intenta acostumbrarte, repítela muchas veces, hasta que estés convencida. ¿Que te parece excesiva...? ¡Ah, ya, es eso! Tu *humildad* te impide decir «bendita entre todas». Entiendo. ¿Cómo te suena, entonces, aquello de «en la palma de mis manos te llevo tatuada»? (Is 49,16) ¿Todavía no has caído en que eres única e irrepetible? Mira tu cara, mira tus manos. Nadie hay igual. Es el signo de que te han creado individualmente, elegido expresamente, amado particularmente. ¿Todavía te crees hija del azar, del instinto, de la imprevisión? Además, por qué esa manía de compararos. Cada uno de vosotros brilláis en sus pupilas y latís en su corazón. Te lo puedo asegurar. Cada uno con su estatura, su forma y su color. Acogido, bendecido, cuidado.

¿Que eres una pecadora indigna? Ya veo. Otra vez la contaminación de la religión negativa de antaño... No mi niña, no. Has sido amada, creada llena de *dones*. Eres hija de la *Luz* y por tanto eres luz; tu interior rebosa *potencialidades*, tu ser se muere de ganas por expandirse como una galaxia. Haces bien en identificar tus «malos funcionamientos», pero si te obsesionas con tus sombras no lograrás ver lo positivo de tu corazón. ¿Dónde te apoyarás entonces para caminar segura por la vida?

Sí, lo sé. Estás condicionada, herida y maltrecha, por el ambiente que respiraste en tu vida temprana y por la oscuridad actual. Ese es precisamente el *pecado original* que hay que superar, el daño de quienes te contagiaron desequilibrios (violencia, temor, inseguridad, rechazo, etc.). De generación en generación. Pero olvidas que también hubo quien te sembró esperanza, fe en ti misma, libertad, bondad, paz... Por eso estabas ahora rezando, suspirando por ser más y mejor, mientras te abrumabas con tus fracasos. Habéis olvidado lo escrito: «Donde abundó el pecado, sobreabundó la gracia» (Ro 5,20). Sois totalmente positivos en el fondo, nada se ha perdido, nada se ha dañado definitivamente.

¡Por supuesto que no podéis abandonaros a las tinieblas de fuera ni a las oscuridades de dentro! Debéis trabajar por acrecer el *tesoro que sois y la fuerza que portáis*. No es mérito vuestro, todo lo habéis recibido. ¿No te das cuenta de vuestra ingratitud al no reconocer vuestra herencia? ¿Por qué vivís como hijos pobres... de Padre millonario?

Te contaré otro secreto. En ocasiones le oigo repetir: «Hija mía que estás en el mundo. Eres mi gloria y en ti está mi reino. Eres mi voluntad y mi querer. Te sostengo y mantengo cada día, no temas. Te perdono siempre, para que perdones. Yo te libraré del mal y de las dudas»[31].

Hoy estoy parlanchín. Bueno, en realidad es parte de mi don de anunciador. Una confidencia más: muchas veces he visto al Padre inclinarse a tu oído y susurrar: «Clara, hija mía, gracias por todo lo que has hecho por mí». Tú no le oías. Estabas concentrada en la lista de tus pecados.

¡Vaya! ¿Ahora lloras? Lo comprendo. La emoción te hierve. ¿Te atreverás ya a repetir mi bendición, a creer que Dios te hizo

---

[31] De PETER FRAILE, iniciador de los cursos «Integración de valores» y «Dinámica de la Bondad».

luminosa y siempre te amó, siempre te acompañó, siempre te esperó, por encima de tus «terribles» pecados? ¡Reconócelo, agradécelo, salta de alegría!

Un último mensaje. Has recibido de mi boca una bendición nueva y antigua. ¡Ahora ve y haz tú lo mismo! Reconoce lo bueno que hay en tus hermanos, desciende a su interior, no te fijes tanto en sus heridas y cicatrices, siente su luz y bendícelos. Es decir, diles el bien que descubres en ellos.

En momentos especiales, cuando quieras transmitir a alguien tu fuerza, tu apoyo y tu amor, haz esto:

Elige el lugar adecuado, pon tus manos sobre su cabeza o sus hombros y bendice lentamente: «Dios te salve (pon aquí su nombre) lleno eres de gracia, el Señor está contigo, bendito tú eres entre todas las criaturas, y bendito sea Dios que habita dentro de ti».

Puede que te sorprendan los efectos de esta costumbre de bendecirte y bendecir. ¡Aprende a ser feliz con lo mucho que Dios te ha dado! ¡Aprende a descubrir lo divino que late en tu corazón y en el fondo de cada ser humano!

¿ME PREGUNTAS POR MI ORACIÓN?

¿Que cómo me las arreglo yo para hacer oración? ¡Qué difícil me lo pones! ¿Cómo arrancarme una esquinita de mi alma y hacértela llegar? Es tan difícil congelar una foto de la oración como difícil es retratar la respiración. Tal vez nada tan parecido a la oración como la respiración, quizás por eso muchos empiezan por ahí, por hacerse conscientes de su respiración, aunque yo nunca he necesitado ese paso. La vida siempre es nueva y distinta, la oración también. Precisamente porque es, ante todo, vida: vida interior, vida profunda, vida abierta al Infinito.

Para empezar busco la *soledad* que es como el marco de la oración. En ocasiones, la soledad se encuentra entre mucha gente.

Para seguir busco el *silencio* que es como la atmósfera en la que flota la oración.

Procuro una postura del *cuerpo* cómoda y relajada, para que no me moleste y no me llame (¡déjame ser ángel un ratito!). Normalmente sentado y puede que él solito se vaya inclinando profundamente. Es hora de olvidar el cuerpo. Tal vez aparezca después para expresar y dar volumen a las sensaciones profundas. Comprendo muy bien a los que hablan, por ejemplo, de «danza orante».

Continúo con el *recogimiento* interior, ese volverse hacia dentro y dejarse impregnar por el agua del fondo. Eso supone *acallar* los ruidos interiores. Pueden ser pensamientos, imaginaciones, recuerdos, urgencias... Son las «mariposas» que siempre nos asedian por dentro en el nivel cerebral (lista de la compra, deberes pendientes, tareas de la agenda, preocupación por tal o cual problema, el reloj que no se detiene, etc.) o, como me decía una señora piadosa, los «elefantes voladores» que te impiden entrar en la *calma* del espíritu, en la profundidad de tu ser.

No conviene pegarse con las «mariposas». Suelen desaparecer al bajar a lo hondo y ausentarse del tiempo, algo un poquillo difícil cuando no se ha adquirido el hábito de orar. Mientras tanto se pueden utilizar esas «mariposas» para orar. Por ejemplo, me viene obstinadamente tal persona (puede ser un hijo, una hermana, un enemigo...), pues me dejo sentir lo que esa persona me inspira (positivo o negativo) y se lo comparto al Señor. Puede que surjan luces, actitudes, obras respecto a esa persona que me invade. Vuelvo a contárselo al Señor y espero respuesta, como quien dialoga con un ser querido al que tu vida le interesa mucho. La oración, en ese momento o en ese día, se quedó más arriba pero no desaproveché mi retiro.

A partir de ahí, calmada la frenética actividad mental, dejo que *mi ser se sumerja en el Ser, que mi pequeño yo se zambulla en el Todo*, sintiéndome parte de una sinfonía inabarcable e inacabable. Mi «ser» suele reconocer instintivamente a «el que Es» de siempre y por siempre. Y, como los patitos pequeños, le sigue, se acurruca y hasta intenta subirse a su espalda. Cuando uno tiene cierta costumbre es como sumergirse en un gozoso jacuzzi.

Seguramente surgirá un abanico de sensaciones profundas. La más habitual es la paz, sobre todo si uno está viviendo en orden y entregado a la «determinación de progresar», es decir, a la llamada a *la Plenitud* que todo ser humano lleva dentro, la llamada de la Madre podríamos decir.

A mí me ocurre que, al llegar a ese *recinto sagrado donde reside el Ser supremo* —que yo llamo Padre— me brincan espontáneas sensaciones de distinto color y grosor. Normalmente son *«aspiraciones profundas»* a la bondad, la adoración, la alabanza, la paz, la justicia, el amor, la humildad (sensación real de lo pequeño que uno es), etc. Date cuenta que, si esas aspiraciones las escribo con mayúscula, se convierten en distintos «nombres de Dios». Por eso el vivir (sentir) conscientemente esas aspiraciones profundas es como arrojarse en los brazos del Padre-Madre-Dios, desear (aspirar) ser como Él, hacer crecer la «imagen y semejanza» que late en el fondo de mi corazón. Es como un baño en la «divinidad» que llevo dentro.

Fue y sigue siendo muy gozoso encontrar en mi interior esta definición: «Dios es la infinitud de las aspiraciones profundas del hombre». Por eso es tan fácil *experimentar a Dios,* en contra de lo que muchos piensan. Basta con experimentar tus propias aspiraciones profundas. «Estoy hecho de Ti», podemos decir en verdad; para oír la respuesta: «Estás hecho de Mí», ciertamente.

A veces, en ese camino hacia las aspiraciones profundas, se interponen las frustraciones, sensaciones de «caminos cerrados», de aspiraciones y necesidades que no están satisfechas, porque la vida o tú mismo les han cerrado el paso. Me parece totalmente lícito y fructífero quejarse, llorar, desahogarse, exponerle a tu Dios lo que te duele y te frustra. Detrás de cada queja late la aspiración a mejorar, a enderezar el camino, a cambiar la situación, a hacer lo que esté en tu mano para avanzar. Hay quien, en esta situación, gusta de expresarse «pidiendo» pero a mí me resulta casi imposible. Salvo aquellas «peticiones» que, en realidad, son expresión de «aspiraciones».

Por ejemplo: el *Veni Sante Espiritus* o el *Veni Creator* y tantas otras oraciones tradicionales o personales, incluidas las jaculatorias. Se expresan como peticiones pero en realidad son «ambiciones del alma» («Señor, que vea»...), profundas aspiraciones a conseguir alzar el pie y alcanzar el siguiente escalón. Eso hace crecer, hace subir realmente. Sobre todo si siguen las obras, la constancia y el hábito. Teresa de Jesús decía algo así: «Nos pasamos la vida intentando subir el primer peldaño. Cuando menos lo esperamos Él nos levanta al siguiente o al último». Y conviene advertir aquí, que no es lo mismo conseguir la constancia a fuerza de puños (voluntarismo), que por impulso de las aspiraciones profundas. Estas, nacidas en lo hondo, te levantan en volandas y la voluntad solo tiene que consentir y permanecer. (Este es un tema importante que merecería un capítulo aparte).

Cuando en el interior aparecen *«frustraciones»*, estas pueden referirse a la vida presente o a la pasada. Si se refieren a la vida pasada, suelen revivirse heridas, dolor por el daño sufrido o causado. Entonces la oración se convierte en auténtica terapia sicológica porque limpia las heridas y nos aparta de las canalladas del pasado (sufridas o ejecutadas). El catecismo lo llamaría «verdadero dolor por los pecados» en el caso de las ejecutadas y «perdón de los enemigos» en el caso de las sufridas. Es decir, la oración profunda nos puede ayudar a «curar las heridas del pasado», requisito imprescindible para llegar al equilibrio sicológico, a la paz interior.

Esta experiencia me llevó a reconocer —hace ya muchos años— que el mejor Sicoterapeuta es el propio Cristo. No el mental y teórico, sino el experiencial y vivo dentro de cada cristiano: «Vosotros conoceréis (experimentaréis) que yo estoy en mi Padre, vosotros en mí y yo en vosotros» (Jn 14,20); «No os dejaré abandonados nunca, volveré a estar con vosotros» (Jn 14,28); «Seguid unidos a mí, que yo seguiré estando con vosotros» (Jn 15,4).

Hay un momento (puntual o histórico) en que la oración es simplemente *reposo y escucha* a los pies del Maestro (como María en Betania) o *descanso* en los brazos del Amado (como Juan), o *mirar*, admirar y dejarte mirar (como tantas veces su Madre). Por eso prefiero hacer oración ante el Sagrario.

Llegados aquí, solo puntualmente hierven las «aspiraciones» o duelen las «frustraciones». El resultado práctico suele ser *paz*, *luz* nueva para comprender o actuar y *energía*, es decir, *fuerza* para poner en práctica lo descubierto y seguir camino.

Últimamente hago trampa —lo confieso— a la hora de sumergirme en oración y librarme de las mariposas. Me valgo de un precioso medio: la *música*, a la que llamo el «aliento de Dios». Puede ser música religiosa o profana, melodías o canciones, con tal que me sirvan para zambullirme en lo hondo o para poner palabras a mis aspiraciones profundas. La llevo comprimida en un pequeño aparato, que llaman MP3, pero al que yo pondría el nombre de un ángel. ¡Lástima que no pueda hacer sonar en este papel alguna de mis músicas!

Hay canciones profanas que me inspiran y me elevan. Por ejemplo, esta confesión que hoy te escribo ha sido acelerada por la escucha profunda (vivencia) de una canción de amor. Si uno es capaz de trascender los sentimientos mundanos que esta u otras canciones sugieren y referirlas al Amor supremo, entonces has encontrado un medio para facilitar la contemplación de que hablan los místicos.

Finalmente, conviene advertir que la naturaleza animal del ser humano flota como un corcho, tiende a la superficie e, incluso, a dejarse arrastrar hacia la pecina. Por eso el contrapeso de la oración —que te sumerge en lo mejor de ti— ha de utilizarse continuamente, siendo *constantes en la oración diaria*: «Velad y orad para que no caigáis en tentación» (Mt 26,41; Mc 14,38; Lc 22,40) y «Alegres en la esperanza, pacientes en los sufrimientos y constantes en la oración» (Ro 12,12).

Para mí fue glorioso el descubrimiento de la «determinada determinación» —en palabras de Teresa— que me condujo a la oración diaria. Percibo en mi vida un antes y un después de esa determinación.

Me he alargado demasiado. Solo quería hacerte una breve confidencia para responder a tu pregunta y ya ves. Sé que comprendes que el tema de la oración es extenso, profundo e intenso, aunque fácil. Como la natación, para aprender hay que lanzarse al agua. De ninguna manera son suficientes los libros o las palabras. Eso solo son las calabazas para perder el miedo de meterse en el agua.

No he olvidado que quieres ver plasmado en artículos breves lo que tengo escrito sobre la experiencia de Dios. Sí, de eso se trata, *la oración verdadera es experiencia de Dios*. Si puedo, te complaceré, más que por ti —tú sabes mucho de todo esto— por aquellos a los que pudiera ayudar.

Te pondré, como despedida, *un ejemplo de los ecos de la oración*. Cuando uno —sin palabras— se sumerge en oración y llega al fondo, las palabras pueden surgir del fondo y convertirse en oración. Te transcribo unos versos que reflejan esa experiencia. Brotaron de lo hondo pero también pueden servir para hacer el camino inverso y zambullirse en lo hondo. ¡Ojalá te sirvan! Con los versos y mi cariño te dejo.

CONTIGO DENTRO

¿Por qué se arrodilla mi alma
cuando vienes a mi encuentro?
¿Qué has puesto dentro de mí,
que se estremece a tu aliento?

Dime, Señor, mi Dios:
¿De qué madera estoy hecho?
¿Por qué fluye en mis entrañas
este ardiente sentimiento?

Quiero verte
y no te veo.
Quiero tocarte
y no puedo.

Y, sin embargo, me das
la evidencia de aquí dentro.
¿Qué quieres hacer conmigo
cuando brotas en mi centro?

Siento la luz de tus ojos.
Noto el calor de tus besos.
La emoción mana en hervores.
Tu dulzor me llega presto.

¿Qué debo hacer, Amor?
Si me tienes aquí preso.
Si mi cabeza se inclina,
sumisa, contra tu pecho...

Dime, mi buen Amor,
¿Qué hago contigo dentro?
Si me llueven por los ojos
de mi interior los anhelos.
Si ya no me gusta nada
que no sea tu remedo...

Quiero verte
y no te veo.
Quiero besarte
y no llego.

Si me has cautivado, Amor,
dime por qué te quiero.
Por qué te adora mi alma
cuando tu susurro siento.
Por qué me sube este gozo
cuando me inclino hasta el suelo.

Eres más grande que yo,
eso ya puedo verlo.
Me inundas por todo lado
y rebasas mi cimiento.
Tu presencia se desborda
dentro de mí, Dios Inmenso.

Te gusta mostrarte así
en las honduras del centro.
Y te invitas a mi casa
como mi amigo más bueno.

¿Qué me pides, buen Amor?
¿Qué me pides, Amor bueno?

Si llenas todo mi ser.
Si por mi Dios yo te tengo.
Si estoy buscando por Ti
en dónde volcar mi vuelco.

Mi frágil fe entreteje
los hilos de aquel recuerdo:
¡Es verdad que nada pides
y solo dices: «te quiero»!

La exigencia me enseñaron
de servirte siempre alerto.
De no olvidarme del barro
con que fui un día hecho.

Mas Tú te vienes a mí
con tus guiños y tus juegos.
Te escondes en mis entrañas,
me inundas de paz y besos.

Dime, mi buen Amor,
¿Qué hago contigo dentro?

EL SACRAMENTO DE LA ALEGRÍA

Los antecedentes

¿Por qué los católicos de hoy se confiesan poco o nada? Es incompleto responder que se ha perdido religiosidad y fervor. En mi opinión queda muchísima gente auténtica, que se siente Iglesia y que tiene verdadera determinación de progresar, pero a la que la rutina y las formas caducas le hacen daño. Se hace necesario, por tanto, *profundizar y recuperar* el origen, la autenticidad del Evangelio.

Los católicos sabemos que este sacramento es *fuente de vida* y fue instituido por Cristo. Pero sabemos igualmente que las formas han sido establecidas por la Jerarquía conforme a las luces y circunstancias de cada época. Tales formas, por tanto, pueden cambiarse. La práctica actual se centra en la «confesión de boca» y el «cumplimiento de la penitencia». Las denominaciones empleadas lo confirman: confesión, confesarse, sacramento de la penitencia.

Sin embargo, *la esencia de este sacramento está en la vuelta al Padre,* en la conversión, en la elección del bien y consiguiente rechazo del mal. Es lo que en la formulación tradicional se ha llamado «contrición de corazón» y «propósito de la enmienda», relegados hoy al secreto personal.

Muchos católicos pensamos que deberían replantearse las fórmulas y *privilegiar la esencia del sacramento* dejando la «confesión vocal» para quien la necesite y quiera ejercerla. La praxis del sacramento, individual o comunitaria, debería basarse en un buen *análisis de la interioridad* y en una manifiesta *actitud de cambio,* que desemboque en la *absolución* individual o colectiva. Nadie sentiría invadida su dignidad personal, ni surgirían frenos, aprensiones o vergüenzas. Sería sencillamente la celebración de una fiesta, la inmersión en lo mejor de uno mismo, el gozo de volver a mi fidelidad interior. Y, desde ahí, seguir caminando con fuerzas renovadas. Ese me parece el genuino sentido de la *conversión evangélica* de la que nos hemos distanciado.

Sé lo importante que es para el ser humano hablar de corazón a corazón, por eso prefiero el sacramento individualizado, pero con acento en la *voluntad de cambio,* no en la retahíla de pecados. Cuando abro el corazón a alguien de confianza, mis errores y mis sombras salen como gazapos asustados, sin que centre mi esfuerzo en las cuadrículas rotas sino en mi aspiración a mejorar. (Habría que preguntarse aquí si nuestros sacerdotes de hoy tienen el perfil humano necesario para *inspirar confianza,* pero no puedo desviarme).

Cuando volvió el hijo pródigo, el Padre «salió corriendo, se le echó al cuello y le cubrió de besos» (Lc 15,21). Cuando el harapiento pródigo comenzó a musitar «he pecado contra el cielo y contra ti, no merezco llamarme hijo tuyo», el Padre le interrumpió devolviéndole la dignidad de hijo (anillo, túnica, sandalias) y convocando una fiesta. No hay preguntas sobre lo que hizo o dejo de hacer, ni mucho menos con quién, cuántas veces o de qué manera. Solo besos, abrazos y festejo «porque ha vuelto a vivir». Este sacramento debería llamarse, con toda propiedad, «sacramento de la alegría».

En el episodio de la adúltera no se pide explicación del pecado ni siquiera expresión de arrepentimiento. Jesús la exime del juicio y le salva la vida: «¿Dónde están tus acusadores? ¿Ninguno te ha condenado?... Yo tampoco te condeno. Vete y no peques más» (Jn 8,10). *La intervención de Cristo frente al pecado nunca exige acusaciones*, nunca agrede la sensibilidad personal, sino que libera, perdona, motiva y orienta gratuitamente. ¿No sería posible recoger tales actitudes en la formulación canónica del mal llamado sacramento de la penitencia? ¿Por qué es necesaria la vergonzante desnudez de todos los pecados? No se me oculta la finalidad pedagógica del relato acusatorio y el pertinente consejo del confesor. Pero estoy convencido de que la eficacia de los sacramentos se basa en la *actitud interior del receptor.* Esa actitud es la que hay que provocar, ayudar y consolidar, sin centrarse en la lista de pecados, como se hace actualmente. La formación moral hay que darla fuera del sacramento.

A Zaqueo tampoco se le pide nada y mucho menos la confesión de sus culpas. Bastó la curiosidad, un mínimo acercamiento, para que Jesús tomara la iniciativa: «Baja que hoy me hospedaré en tu casa» (Lc 19,5). No le pidió que pusiera en orden su vida. Solo le miró y le sintió digno de ser su anfitrión. Es decir, reconoció su *fondo positivo,* no le juzgó, no le humilló, le amó y confió en él. Ante esa actitud del Señor surgió lo mejor del estafador Zaqueo: «La mitad de mis bienes se la doy a los pobres y, si a alguien he defraudado, le devolveré cuatro veces más»

(Lc 19,8). ¿No sería más eficaz y evangélico un «sacramento de la alegría» en el que nos ayudaran *a reencontrarnos con lo mejor de nosotros mismos y ejercitarlo*, en vez de coleccionar pecados?

En la primera y última confesión del Buen Ladrón no hay propósito de la enmienda porque ya no hay tiempo, ni petición de perdón. Solo la intuición de que aquel era bueno y ante él nace una adhesión instintiva: «Acuérdate de mí cuando estés en tu reino» (Lc 23,42). Bastó esa mínima «actitud de cambio», de distinción entre el bien y el mal, para oír la respuesta inefable de la Misericordia: «Conmigo en el paraíso estarás hoy», sin rendición de cuentas, sin requisitos formales; *pura y simple misericordia para quien la intuye y la solicita.*

Por fin, la gran apostasía de Pedro. Una vez más Jesús se sitúa en *lo positivo del hombre* y, sin juicios, sumerge a Pedro en el agua limpia del fondo: «¿Me quieres más que estos?» (Jn 21,15). La respuesta no es la vocalización de su pecado, ni siquiera de su llorado arrepentimiento. Lo que importa es la expresión, la ratificación, la evidencia de lo positivo que late en su corazón: «Sí Señor, Tú sabes que te quiero».

¿Se parecen nuestras rutinarias ringleras a estas confesiones?

LAS REFLEXIONES PARA HOY

Dicen los letrados que este sacramento se instituyó con las palabras: «A quienes perdonéis los pecados les quedan perdonados; a quienes se los retengáis les quedan retenidos» (Jn 20,23). No puedo entenderlo como la *concesión de un poder* y, mucho menos, de una *potestad para retener pecados*. Sería con-

-C-A-T-L-

Trans	R	C	Set #

Prim N-O--I-NV   SD
Set N   Grade AD   Bind A   GGR Y
Title   MEDITACIONES DESDE LA ¢SP¢#P#
Author Del Agua   Assoc 188148
Publr   BAKER & TAYLOR, INC.
PO   3398229   ISBN 9788493761509
Price   17.95
Date   08/05/10   Tote DO063

        Reason:

Note:

trario al Dios Misericordia revelado por Cristo. En ese pasaje oigo un *envío urgente a ayudar*. De hecho viene justo después de «Como el Padre me ha enviado, así os envío yo a vosotros» (Jn 20,21). Mi lectura es: ¡A quienes liberéis quedarán liberados, a quienes no consigáis liberar quedarán encadenados. Os envío a perdonar, a curar, a ayudar. Si vosotros no llegáis seguirán atados! Por eso reivindico el nombre de *sacramento de la ayuda, de la liberación, de la alegría*.

En realidad este sacramento no es para que Dios nos perdone sino para que nosotros *nos abramos a su perdón y tomemos el camino de vuelta*. Él nos tiene perdonados desde la eternidad. Dios es «puro acto», nada tiene «en potencia», es un Ser pleno y presente. Luego no cabe «una espera» al pecado para poder perdonarlo, como no cabe «una espera» a nuestra oración para atenderla. El perdón fluye permanentemente de su esencia: *Amor presente, infinito y eterno*. Nos equivocamos cuando decimos: «Dios te perdonará o te concederá». *Nada es futuro en Dios, todo es presente:* te está perdonando y te está dando en todo momento, siempre. Eres tú el que ha de extender las manos para recibir.

¿Entonces es innecesario este sacramento? ¡Todo lo contrario! Es imprescindible porque es la expresión real de tu *arrepentimiento* («dolor por los pecados») y de tu *deseo de volver* a los brazos del Padre («propósito de enmienda»). Eso es lo más importante y, sin embargo, lo menos destacado.

En nosotros sí hay un futuro porque vivimos sobre la provisional alfombra del tiempo. En nosotros sí hay un proceso de maduración porque somos criaturas «en proyecto», limitadas, frágiles y libres. Esa es la causa de nuestras perversiones o errores. Necesitamos, por tanto, una puerta que nos permita expresar nuestra travesía interior de la caverna (error) a los brazos del Padre (camino a la plenitud feliz). En el *sacramento de la alegría* reconocemos nuestros errores y vigorizamos nuestra «determinación de progresar» hacia una auténtica humanidad, venciendo el peso de nuestra animalidad. Lo que no se alimenta se muere, por eso es imprescindible repetir este proceso.

Ahí, al otro lado de esa puerta, siempre está el Padre con el perdón en las manos. No es que nos perdone, sino que *somos nosotros los que nos inundamos de su perdón* al echarnos en sus brazos. Lo mismo que se moja y se lava el que se zambulle en el mar. Lo mismo que se ilumina el que se mueve desde la oscuridad de la caverna a la luz exterior. Esto es lo que significa y produce este sacramento: tránsito de la suciedad a la limpieza, de la oscuridad a la luz.

Lo que nuestro Padre-Madre desea es que rectifiquemos y no nos perjudiquemos más. No hay posible regreso si no reconocemos la huida (los errores). El pródigo no hubiera decidido volver si no hubiera *reconocido el error* de alejarse de la casa paterna («examen de conciencia»).

Pero lo definitivo es *el sufrimiento del destierro,* hacernos conscientes de que nos hemos perjudicado, sentirnos lejos del confortable hogar paterno («dolor por los pecados»). Eso nos llevará a tomar la *decisión tajante de volver* y dejar los cerdos («propósito de la enmienda»). Humanamente necesitamos *compartir nuestro fracaso* y sentir el apoyo y las luces de alguien comprensivo, acogedor, no juzgador («confesión de boca»). Esto último me parece lo menos importante y solamente necesario en determinadas circunstancias. Por eso no estoy en contra de la llamada «penitencia comunitaria» (bien preparada) con absolución general, que hoy no está autorizada.

La propongo —aunque practico y recomiendo la personal cuando uno se sabe preparar— porque la *apertura al perdón y la determinación de volver* al Padre (lo esencial) se preparan y se provocan específicamente en la penitencia comunitaria. Digamos que es el «sacramento guiado», mientras que en la confesión personal suele dominar la rutina subjetiva y la lista de pecados, que para poco sirve. Además, reconocerse pecador junto a otros y decidir volver juntos tiene una fuerza especial, la fuerza de la comunidad.

La absolución —en mi ignorante opinión— no es propiamente el perdón de los pecados sino *la confirmación de que te ha inundado el perdón de Dios* porque te has abierto a su perdón. La fórmula «yo te absuelvo» (demasiado pretenciosa y ajena al Evangelio) podría ser algo así: «tu apertura al perdón de Dios, tu arrepentimiento y tu deseo de volver a los brazos del Padre han borrado todos tus pecados y el eterno perdón de Dios se ha derramado sobre ti». Esta fórmula o parecida nos recordaría que Dios no nos perdona en ese momento sino que estamos perdonados desde la eternidad y —muy importante— que lo ocurrido es que *yo me he movido hacia el Padre y su perdón.* Esto nos haría *más responsables* y nos recordaría que somos nosotros los que construimos o destruimos nuestra vida. Dios siempre se está derramando.

Me parece triste, además de erróneo, que nos consideremos pasivos en nuestra relación con Dios, quien siempre es el que tiene que moverse, el que tiene que perdonar o conceder. Nosotros nos consideramos meros «piadores» o «empujadores». Cuando la realidad es que *Dios es inamovible, totalmente entregado, absolutamente bueno, enteramente enamorado de sus criaturas.* Somos nosotros los que hemos de abrirnos a esa realidad y actuar en consecuencia. Esa certeza constituye la fe básica de todo creyente. Sin eso, todo lo demás se convierte en creencia, rito, rutina, miedo o superstición. Cuando nuestra responsabilidad y actuar han llegado a su límite, entonces surge el *abandono total*: «Actuar como si todo dependiera de nosotros. Confiar como si todo dependiera de Dios» (Ignacio de Loyola).

La confesión se convierte en mera rutina egoísta, en mera chimenea de la «conciencia cerebral», cuando llegamos al confesionario como quien abre la lavadora para echar la ropa sucia, sin ánimo alguno de dejar de ensuciar, sin orientar nuestros pasos por el camino de vuelta, sin abandonar nuestros errores, inconsciencias, rendiciones o fantasías. Es decir, sin querer identificar y rectificar *nuestros* «malos funcionamientos».

La llamada penitencia tendría que ser la invitación a fortalecer el funcionamiento contrario, es decir, la gimnasia de mover el buen funcionamiento. Si me acuso de violencia verbal, por ejemplo, la penitencia sería: «durante tres días ni una palabra más alta que otra», en vez de rezar tres avemarías.

Dice la Escritura: «Por tanto, arrepentíos y convertíos para que sean borrados vuestros pecados; así llegarán los tiempos de consuelo» (Hch 3,19). El borrado de los pecados y sus consecuencias está en el «arrepentíos y convertíos», no en la verborrea. El consuelo llegará seguro si sales de los barrizales en que te has metido, pero no si te limitas a relatar el color del barro.

Y poco más adelante: «Dios resucitó a su siervo y os lo envía en primer lugar a vosotros, para que os traiga la bendición si os apartáis de vuestros pecados» (Hch 3,26). La bendición, la felicidad, está ligada a *apartarse* de lo que nos causa daño real, terrenal, palpable. Eso que llamamos pecado más que una ofensa a Dios es un daño real contra nosotros mismos o contra otros.

¿Entonces sobra el sacerdote? ¡Todo lo contrario! Esta visión del sacramento lo traslada desde la rutinaria labor de barrendero a su verdadera misión de médico, sicólogo, motivador, guía y testigo de *nuestra decisión de volver a casa*. Nuestra naturaleza humana necesita *signos externos* (sacramento significa signo) para concretar y expresar el oscuro mundo interior, para que nuestra determinación adquiera volumen y se sienta apoyada, para que nuestra culpabilidad se diluya ante la seguridad de la misericordia de Dios, para palpar el perdón. Además, el corazón humano necesita ser acogido, comprendido y apoyado por otro corazón humano. Por eso el sacramento personalizado es muy conveniente. Por eso personas con finura espiritual de otras religiones nos lo envidian.

El «sacramento (signo) de la alegría» nos lleva a ese Padre-Madre, que nos ama apasionadamente, que nos recibe y nos pregunta: ¿Hijo mío, te has hecho daño? ¿Lo pasaste muy mal lejos de casa? Es más, este sacramento revela la permanente Presencia que nos cura, nos acompaña, nos alimenta, nos anima a permanecer en el camino de vuelta. La libertad, nuestro más preciado don, puede convertirse en el arma más perniciosa cuando la usamos contra nosotros mismos. Por eso necesitamos un signo que exprese nuestra rectificación y curación.

Te propongo, para terminar, un *análisis previo* (lo que llamamos «examen de conciencia») para el diálogo con el sacerdote antes de la gratificante absolución (confirmación de que Dios te ha perdonado desde la eternidad):

— ¿Qué va *bien* en mi vida? (Jamás detectarás tu sombra si no te pones a la luz).
— ¿Qué va *menos bien*? (Analiza desde lo que sientes, no desde los esquemas).

— ¿Cuáles son mis *aspiraciones*? (Si no conectas con lo positivo del fondo, te será muy difícil rectificar y salir de los charcos habituales).

Y después: ¡Alégrate! ¡Libérate! ¡Camina decididamente hacia los brazos del Padre!

SI CONOCIERAS EL DON DE DIOS

Pocas cosas más refrescantes y pacificadoras que sentarse junto a un pozo de agua fresca, cristalina y saludable. Imagino a la samaritana y me asombro —más que ella— ante *la actitud de Jesús*. Se detiene a hablar con una mujer y además cismática. No solo le habla, le pide un favor y le hace otro. Hace intercambio de bienes. Este galileo sorprendente *acoge a todos y no hace acepción de personas.*

¡Los católicos de hoy, sin embargo, cuántos muros levantamos! Nos encerramos en nuestro grupito, entre los de nuestra cuerda. Juzgamos y despreciamos cualquier disidencia, novedad o cuestionamiento de la rutina. *El respeto es el quicio de cualquier convivencia.* Pero, con cuánta reiteración agredimos, con la bandera de Apolo, de Pablo o de Pedro, en vez de construir la «común unidad». Si esto hacemos con «los nuestros», ¿qué no haremos con los de otra raza, otro país u otro credo?

Vivimos en un mundo lleno de *rivalidad, competencia y localismo.* La lista de ejemplos sería interminable. Los católicos, es decir, los universalistas, los que teóricamente defendemos la unidad e igualdad entre todos los seres humanos, ya tenemos clérigos que introducen en la oración común distingos entre hermanos y hermanas, plagiando a políticos manipuladores. ¿No somos todos personas, hijos del mismo Padre? ¿Por qué esa innecesaria división, ese enfrentamiento falaz entre hombres y mujeres? ¿Por qué dividir el mundo en bandos? ¿Por qué repudiar palabras genéricas que engloban, que unen, que abrazan, para usar expresiones que fraccionan la familia de los orantes?

Si esto ocurre en lo sagrado, cómo extrañarnos —otro ejemplo— de que el omnipresente fútbol se haya convertido en semillero de *animadversión y odio*, además de derrochar cifras espeluznantes. ¿Has visto algo de Operación Triunfo? Otro actualísimo ejemplo de nuestra *atávica tendencia a la tribu*. La gente se arremolina y hasta malgasta dinero del pueblo para apoyar a sus particulares *ídolos de barro*. ¡El mejor el de mi pueblo! gritan que es como decir: ¡yo, el mejor! Actitud ridícula e infantil, expresión del egoísmo más cavernícola.

A los cristianos (¿fermento del mundo?) deberían resonarnos las palabras de Jesús: «Si conocieras el don de Dios...» (Jn 4,10). Si supieras que *nos han creado a todos con amor*, que no hay fronteras, que todos somos humanos y hermanos, que salimos de la Unidad, a su imagen y semejanza. Si comprendieras que la unidad está hecha de *amor* y, como mínimo, de *respeto*, de mutua *consideración*, de mutua *libertad*, de mutuo *apoyo*...

Al menos los cristianos deberíamos identificar el agua que sacia. «Si conocieras el don de Dios...». Si supieras que está dentro de ti, que eres su gloria y en ti está su reino. Si te percatases de que eres un ser positivo, bello y fecundo. Si descubrieses las cualidades que ha puesto en tu interior para que las desarrolles, las disfrutes y las compartas. Si te dejases sentir *la energía que te empuja* a desarrollar todos tus dones, a ser tú mismo, todo tú y solo tú, sin ambiciones fatuas. Si oyeses como la semilla, que te ha sembrado, se muere de ganas por crecer. Si comprendieses que solo la maduración de esa semilla, te saciará para siempre. Si te sumergieses en ese agua viva, en ese *manantial íntimo y personal* que empuja, brota e inunda a los que tienes cerca. Si creyeses que te ha creado para que seas *pleno y libre* sin atarte a espejismos de felicidad...

Me asalta el recuerdo de *los pozos de mi vida*, pozos afamados, muy frecuentados, muy reconocidos, muy antiguos. De joven bebí en el *pozo de la fuerza*, siendo fuerte estaría a salvo, ya no tendría miedo a los otros. Después bebí en el *pozo del saber* para subir, para superar la competencia y la precariedad. Intenté beber en el *pozo del tener*, ganar mucho para disfrutar de la vida y sentirme seguro. También intenté escalar el brocal del *poder social*, reunir prestigio, imagen, mando, jerarquía, distinción, honores, para superar mis inseguridades, mis miedos y mi sed de ser más.

Finalmente, encontré el sutil brocal del *poder religioso*, de la libertad transferida, del perfeccionismo, del cumplimiento estricto, de la seguridad de «los elegidos», de la verdad absoluta, de la rectitud total, del aplauso a mi santidad. Hasta que descubrí mi codicia de «un dios de mi propiedad», más poderoso que el del otro, que eliminase mis inseguridades y me sentase a su derecha para ser el primero. Ciertamente ninguno de esos pozos me dejó satisfecho, en ninguno hallé la paz.

Por eso desconfío de promesas de plenitud, de saciedad, de felicidad. Por eso en mi interior surgen preguntas y estoy a la escucha. «El que bebe este agua tendrá otra vez sed, pero el que beba del agua que yo le dé no tendrá sed jamás; más aún, el agua que yo le daré *será en él manantial* que salta hasta la vida eterna» (Jn 4,13). ¡Esa es la prueba que yo buscaba! Está dentro de mí, en mi misma vida, en mi propia experiencia: ¿la sed se repite o se calma?

Buscas fuera y sigues insatisfecho. Buscas seguridades en el poder religioso o en el poder mundano y te frustras. Olvidas que «llega la hora, y en ella estamos, en que los verdaderos adoradores adorarán al Padre *en espíritu y en verdad*» (Jn 4,23). Solo en tu autenticidad, en el manantial interior, apagarás la sed de Absoluto que te abrasa, la orientación de tus búsquedas, la seguridad de tus fragilidades. Ese agua interior no es otra cosa que la «vida de Dios», esa que te dinamiza y humaniza, esa que llamó «mi reino».

«Si conocieras quien es el que te pide de beber...». Si abrieses el corazón y te dieses cuenta, por fin, de que ha venido a tu encuentro el *Hijo de Dios*, el que te creó, el que te amó primero. Si vieses que, al mismo tiempo, es el *Hijo del Hombre*, el Humano, tu cercano modelo de humanidad, tu posibilidad de ser, tu proyecto de plenitud...

«Soy yo, el que habla contigo» (Jn 4,26). ¿Por qué dudas? Observa tu sed y dónde se sacia. Tu propia experiencia interior te dará las certezas y evidencias que necesitas para sentirte seguro. El síntoma, la señal, es la paz interior: siempre brilla en la penumbra del manantial.

Naciste del beso creador del Padre, estás llamado a desarrollar la naturaleza divina que hay en ti y a ser plenamente humano. Ambas cosas están unidas porque *no hay hombre sin Dios*. ¡Ojalá encuentres la seguridad y la paz que buscas en el susurro del manantial de tu pozo! Sin la menor duda, Él te espera sentado en el brocal.

EL RÍO DE LA PALABRA

BUSCAR LA PALABRA

Mi amiga Mercedes es una mujer madura, culta, piadosa, con muy buena formación y, sobre todo, con un personalísimo trato con el Resucitado. Ella no consiente que le den gato por liebre. Cuando escucha —en cualquier liturgia— alguna lectura bíblica contaminante, se levanta muy digna de su asiento y se va al atrio, hasta que tales lecturas han terminado.

Otros católicos sufren, se inquietan, se desconciertan. Se preguntan por qué los sabios liturgistas nos proponen lecturas cuyo contenido es contrario a la doctrina cristiana y al rostro del Padre revelado por Cristo. La respuesta, en mi modesta opinión, es sencilla: la «clase sabia» de nuestra Iglesia —celosa de que ninguna letra se pierda porque se han sacralizado todas— se empeña en freírnos el pescado sin limpiar. Y el pueblo humilde, sufriente y silente, a comer lo que le pongan sin rechistar.

El error parte de considerar «toda» la Escritura «Palabra de Dios». Lo afirmo desde la libertad de los hijos de Dios y desde mi modesta opinión de católico mínimo que no baraja palabros incomprensibles, ni alambicadas interpretaciones, y que ama lo simple, intuitivo y claro. Sometidos al rígido y secular autoritarismo clerical («conciencia socializada») se nos olvida aquello de que «hay que obedecer a Dios antes que a los hombres» (Hch 5,29). Y, que yo sepa, la voz de Dios nace en la «conciencia profunda», bien enraizada en el Espíritu, sin despreciar la iluminación exterior. *No avanza el que se cuelga de las farolas, sino el que camina firme y decididamente dando sus propios pasos.*

Esa exageración, causada por un exceso de celo, nos llevó a la «interpretación literal» y con ella al ridículo, como ha quedado demostrado con el paso de los años[13]. Una interpretación material y acrítica es la cuna del integrismo[14] y del fundamentalismo[15], que son una negación del don de la *racionalidad* y de la *asistencia permanente del Espíritu*, realidades imprescindibles para un cristiano[16]. Oficialmente existe un rechazo absoluto de la lectura fundamentalista[17]. Pero, en la práctica, nos arrojan en sus brazos al ordenarnos repetir «Palabra de Dios», después de cada lectura litúrgica, aunque esta sea marginal o bochornosa para un cristiano.

---

[13] Véase, por ejemplo, el origen en la mujer del mal y del pecado (Gn 3,12) que tantos prejuicios históricos hacia la mujer ha protagonizado.

[14] Integrismo: actitud de ciertos sectores religiosos, ideológicos, políticos, partidarios de la inalterabilidad de las doctrinas.

[15] Fundamentalismo: aplicación rigurosa y estricta de las escrituras y las doctrinas tradicionales.

[16] Véase, por ejemplo, una alusión a la racionalidad: «*Entonces les abrió la inteligencia para que entendieran las Escrituras*» (Lc 24,45).

[17] Véase COMISIÓN BÍBLICA ROMANA, *La interpretación de la Biblia en la Iglesia*, PPC, Madrid, 1994.

¿Cómo se puede *pretender encerrar a Dios* en la materialidad de unas letras, de unas historias, de unos tiempos? La Palabra de Dios solo puede ser percibida en el hondón del corazón humano, donde está previamente inscrita. El testimonio de los buscadores y testigos del pasado puede iluminar y movilizar nuestra propia búsqueda, prepararnos para oír su «susurro» (1R 19,12). Pero ese testimonio solo es el medio que sintoniza y acerca la palabra que Dios pronuncia a cada persona, la llamada amorosa de la Madre, esculpida en nuestro ser y tal vez sumergida u olvidada. Dios es espíritu y solo puede captarse por nuestra parte espiritual. Es una exageración perniciosa llamar Palabra de Dios a todos los párrafos del Libro. Las palabras solo se convierten en Palabra cuando uno las ha identificado en lo profundo de su corazón como la llamada de la Madre. ¿Se nos olvidó que a Dios solo podemos acercarnos «en espíritu y verdad»? (Jn 4,23). No es el espejo el objeto de nuestra búsqueda y adoración sino la Luz que refleja.

En la raíz de ese exceso (y de otros muchos) está la dramatización para convencernos de la importancia del Libro, más el miedo a lo nuevo, la *falta de fe en el individuo y en el Espíritu que le asiste*. De ahí las exageradas prevenciones sobre el subjetivismo. Es la tentación de una madre con hijos que proteger: «los alimentos en papilla para que no se cuele ninguna espina, los peligros bien exagerados para que se fijen en la memoria, las puertas y ventanas bien cerradas para que no entren las alimañas».

Las consecuencias serán nefastas: sus hijos no aprenderán a seleccionar y masticar los alimentos, les paralizarán los miedos infantiles y caerán en un raquitismo severo por falta de sol y aire. De hecho, una mayoría somos católicos raquíticos, menores de edad, niños asustados. El dolor que me causa esta situación me empuja a escribir, aún desde las brumas de mi ignorancia, cuantas lucecitas atisbo. ¡Una vez más suplico mayor cuidado a los que nos dirigen!

Hay muchos teólogos y escriturarios actuales que se esfuerzan por abrirnos ventanas. Pero *el aire no llega a todo el Pueblo*. A algunos nos han ayudado a fiarnos de las intuiciones profundas, del gusto por la verdad, de la determinación de progresar, de la búsqueda ardiente de la Palabra. Nos han recordado que «el aire perfumea», que «mil gracias derramando / pasó por estos sotos con presura / y yéndolos mirando / con sola su figura / vestidos los dejó de fermosura»[18]. Nos han empujado a vencer el miedo de profetizar una *religión humanizadora, positiva, luminosa y alegre*, que nos ayude a volver al Padre-Madre con humildad e ilusionada certeza.

Una larga etapa rígida y tenebrista nos hizo olvidar aquellas palabras, pronunciadas paradójicamente en la despedida, justo antes de la Pasión: «Os he dicho estas cosas para que mi alegría esté dentro de vosotros y vuestra alegría sea completa» (Jn 15,11). O aquellas otras del primer epílogo de Juan: «Estos (los milagros) han sido escritos para que creáis que Jesús es el Mesías, el Hijo de Dios, y para que creyendo *tengáis vida* en su nombre» (Jn 20,31).

Pero volvamos a la Palabra. Me parece muy importante caer en la cuenta de que *no toda la Escritura es Palabra*. Más bien la Palabra discurre entre la Escritura, la riega como un río de agua sanadora, fecunda, orientadora, que recorre una concreta

---

[18] SAN JUAN DE LA CRUZ, *Cántico Espiritual*, estrofa 5.

historia humana (la de los judíos y primeros cristianos), durante un tiempo concreto[19].

No podemos confundir el río con sus orillas agrestes, ni con sus monstruos, ni con la vegetación invasora. Hay que distinguir claramente entre el río y la historia que riega. En muchas ocasiones esa historia está habitada por hombres perversos, rudos, ignorantes, que tan pronto reniegan de Dios como le creen inspirador de sus propios crímenes. Algunos pasajes son pura bazofia y su lectura no es recomendable. ¿Hay alguna aberración humana que no esté recogida en la Escritura? Esa es la razón por la que la Biblia fue un libro prohibido o no divulgado durante muchos siglos. Conviene decirlo, porque parece que ahora todo está bendecido por el hecho de estar en el Libro.

Tampoco podemos pensar que la mano que escribe es sabia, incontaminada, guiada al dictado. Todo lo contrario. Está limitada por su personalidad, por su ambiente humano y material, por su nivel cultural, etc. Es decir, la Escritura no solo está contaminada por la precariedad o bajura de la historia humana que describe, sino también por los subjetivismos y condicionamientos de quien la escribe. Esto ocurre de forma relevante en el Primer Testamento[20] porque el primitivismo era mayor y menor la evolución humana.

Pero también puede afirmarse del Nuevo Testamento. En Pablo, por ejemplo, es evidente su complejidad literaria y la

---

[19] Véase, como ratificación de que la Palabra trasciende la Escritura, el precioso texto: «*Mis pensamientos no son vuestros pensamientos...*» Is 55, 8-13.

[20] Primer Testamento, antes llamado Antiguo Testamento; en adelante, utilizaremos la abreviatura PT.

influencia de su formación judía ultra ortodoxa. Es más, esto ocurre y ocurrirá siempre, porque los humanos somos espejos pequeños y ahumados, incapaces de proyectar la luz plena de la Palabra. Solo podemos sembrar algunos de sus destellos para iluminar nuestra humana oscuridad. «Nada son ni el que planta ni el que riega, sino Dios que hace crecer» (1Co 3,7).

¿Qué hacer entonces? ¿Se nos ha roto la Escritura? ¿Renunciamos a ella? Conozco algunos que han caído en esa tentación. ¡Pues no! Solamente *se ha abierto nuestro apetito por buscar, encontrar y digerir la Palabra*. Cuando un río discurre por un lecho fangoso y se enturbia, cuando serpentea entre vegetación salvaje y se hace inaccesible, cuando se esconde para aparecer después, cuando se precipita por barrancos imposibles... ¿Hemos de renunciar a su agua? ¡Decididamente no! Solamente es mayor el reto por alcanzarla. Nos va en ello la vida: «Yo he venido para que tengan vida y la tengan abundante» (Jn 10,10).

Intentaré humildemente en la próxima sección dar algunas pistas para conseguir el agua del río y, si fuera preciso, filtrarla.

Encontrar la Palabra

Nos habíamos quedado en una Escritura contaminada, con una serie de dificultades para beber del río de la Palabra que la riega. Te había propuesto continuar con algunas pistas para alcanzar el agua limpia. Veamos:

1. *La Presencia*: Es la que hace sagrada la historia de este Pueblo. Es como el sol que ilumina, calienta y fecunda una tierra oscura y primitiva. La historia es terrena, a veces perversa.

La voz que la intenta regenerar es divina. A esa Presencia la he llamado río porque baña la historia de nuestra familia desde el principio. Una Presencia que va ganando caudal hasta hacerse palpable y visible. Entonces la Palabra misma nos llama cara a cara. Quienes dan testimonio adolecen también de defectos, pero su Testamento es más comprensible, limpio y fiable que el anterior.

Esa Presencia no ha acompañado solo a nuestro Pueblo. Creo firmemente que ha acompañado, de una u otra forma, a todos los pueblos[21]. Que ha extendido su manto protector sobre todos los rincones de la tierra. La diferencia quizás esté en la fidelidad mayor o menor de cada pueblo a su llamada. Los cristianos nos sentimos «privilegiados», agradecidos, reconocidos a la mano que nos creó y no nos abandonó. No por eso somos mayores, ni mejores. Lo que no resta nada a mi fe, ni a la fidelidad a mis raíces, ni al gozo de pertenecer al Pueblo de la Encarnación. En mi ignorancia solo sé que he sido elegido «desde siempre y por siempre» para la Vida y que me han dejado escrito el camino para no perderme en la oscuridad terrena. Me supera y estremece este regalo. Ardo en deseos de compartir mi alegría. Pero no caeré en la tentación de despreciar a otros desde mi credo y mi doctrina.

Pues bien, para encontrar el río enhebrado en la Escritura, *te será de gran provecho haber encontrado dentro de ti esa Presencia.* Me atreveré a decir más: de poco te servirá la Escritura si no te lleva a descubrir esa Presencia en tu historia, dentro y fuera de ti mismo. Estoy convencido de que mi historia, como

---

[21] Véase, por ejemplo, la referencia a Efraín en Os 11,3 o Lc 13,29.

la tuya, es tan sagrada como la de Jacob, David o Pedro. Esa Presencia la hace hoy, como ayer, «historia sagrada»[22].

2. *La coherencia*: Nos han creado coherentes, a su imagen (Gn 1,26). Es precisamente la coherencia de Dios la que explica las permisiones al desvarío humano. Por esa coherencia «la Palabra se hizo carne y habitó entre nosotros» (Jn 1,14) para mostrarnos el camino de vuelta al Padre, en vez de suprimir de un plumazo nuestra malversada libertad.

La coherencia es, por tanto, *una herramienta imprescindible para filtrar las narraciones bíblicas* y extraer el agua limpia. Es imposible que Dios pueda contradecirse. No puede afirmar algo en un párrafo para negarlo en otro. No puede dibujarnos un rostro de Dios aquí para disfrazarlo allí. Pero las incoherencias existen (en el PT sobre todo). Luego no son Palabra o hay que buscarles sentido distinto al literal.

Por eso muchos clamamos que se deje el PT en su sitio y no se abuse de confusas o incoherentes lecturas en nuestras celebraciones. Estamos a años luz de aquellas percepciones gracias a la Buena Noticia. Es cierto que hay textos bellísimos en los que el río todo lo empapa. Debemos aprovecharlos. Pero no podemos abusar del PT como si no hubiera sido superado por la Palabra encarnada. «El vino nuevo se echa en odres nuevos» (Mt 9,17). «Aquel mismo velo sigue ahí cuando leen el Antiguo Testamento y no se les descubre que con el Mesías caduca» (2Co 3,14).

Por tanto, coherencia en la búsqueda del sentido y en la selección de textos. Si un texto hiere tu coherencia cristiana o

---

[22] Véase, por ejemplo, Mt 28,20.

tu intuición interior, deséchalo de momento. No pasa nada, la Escritura es muy amplia. Busca lo que te alimente hoy.

3. *La sed*: Es la brújula de nuestras búsquedas (Jn 7,38). Hay tanta sed de Dios en el hombre que su Presencia es detectada tanto por nuestra *siempre incompleta saciedad*, como por el *aumento de la sed* a medida que nos acercamos. Ese instinto interior nos hará distinguir el agua del verdín flotante (Dt 32,2). O nos agudizará el ingenio para apretar el barro y extraer sus gotas. O nos impulsará a cavar para besar la corriente subterránea. Incluso nos dará coraje para golpear la roca y arrebatarle su corazón de agua. Esa sed aguda es prueba inequívoca de la existencia del Agua: «Qué bien sé yo la fonte que mana y corre, aunque es de noche»[23].

La sed reconoce instintivamente el agua, te guía mientras exploras la Escritura. Podrás distinguir la pecina o los sapos con toda naturalidad, sin ningún escándalo, sin ninguna duda. Ya no preguntarás por qué hiere tu sentido cristiano esa concreta lectura. Sabrás filtrar, sabrás reconocer. No puedo resistirme a citar la sed de otro buscador: «¡Oh cristalina fuente / si en esos tus semblantes plateados / formases de repente / los ojos deseados / que tengo en mis entrañas dibujados!»[24]. Solo el agua cristalina contiene los «ojos deseados». O si se quiere un ejemplo bíblico: «¿No ardía nuestro corazón mientras nos hablaba en el camino y nos explicaba las Escrituras?» (Lc 24,32). El ardor nos revela la cercanía del Fuego, como la sed nos lleva al Agua.

---

[23] SAN JUAN DE LA CRUZ, *Cantar del alma*, estribillo.
[24] SAN JUAN DE LA CRUZ, *Cántico Espiritual*, estrofa 11.

4. *La promesa*: ¿Quién podrá guiarnos en el descubrimiento del río de la Palabra mejor que la Palabra misma? (Jn 20,31) ¿Quién nos explicará la Escritura mejor que el caminante de Emaús? Él nos lo dejó muy claro en su testamento: «Os he dicho estas cosas estando con vosotros; pero el defensor, el Espíritu Santo, el que el Padre enviará en mi nombre, Él os lo enseñará todo y os recordará todo lo que os he dicho» (Jn 14,25). Y se va a la muerte diciendo: «Padre justo... Yo te he revelado a ellos y seguiré revelándote, para que el amor que tú me has tenido esté con ellos y también yo esté con ellos» (Jn 17,26).

Por eso no hay que tener miedo de dejarse guiar por la intuición profunda, esa luz interior en la que se manifiesta el Espíritu. No temamos usar el alambique interior para separar el agua de sus circunstancias, peripecias y contaminaciones. Si te huele mal, si te sabe mal, si te hiere la garganta, puede que estés queriendo beberte los lagartos de la orilla. Utiliza tu sentido común, tu coherencia y tu intuición. No dudes que en la honradez de tu fondo, en tu búsqueda sincera, en tu desasimiento, en tu abandono a la verdad, está el Paráclito prometido (Jn 14,26).

5. *Los síntomas*: Hay síntomas internos, sensaciones profundas, que te confirman si has descubierto el «agua del río» dentro de la Escritura: el *gozo* profundo (Mt 11,25); la *paz* interior, no exenta, a veces, de tensión o conflicto exterior (Lc 2,34); la *coherencia* con lo que mana en tu profundidad desapropiada, el Espíritu nunca se contradice (Lc 8,16); el *realismo* o posibilidad real de llevarlo a tu vida y la *fuerza* para afrontar lo descubierto. Son los mismos síntomas que te deja el descubrimiento de la «auténtica voluntad de Dios» (no la imaginada, condicionada, ideologizada o impuesta).

Si esos síntomas te acompañan, con toda probabilidad el Espíritu está contigo. No olvides que él asiste a nuestro Pueblo en su peregrinar, pero también te asiste y te acompaña individualmente. ¡Él es tu heredad y tu copa! ¡Fíate!

ESCOLLOS A EVITAR

Sintetizaré algunos peligros a evitar en nuestra búsqueda y encuentro con ese río de agua viva que discurre por la Escritura.

1. *La interpretación caprichosa o interesada*: Un amigo me decía, no hace mucho, que en la Biblia podían encontrarse citas para sustentar una afirmación y la contraria, una ideología y su opuesta. Esa afirmación es un sofisma[25] o, como mínimo, una apariencia. La *Palabra auténtica no se puede contradecir a sí misma*, como he defendido en la sección anterior.

Es imprescindible ser honesto y objetivo, no «arrimar el ascua a mi sardina», no manipular. Para que una veleta cumpla su misión tiene que estar suelta, dispuesta a girar. Si la manipulamos, su finalidad se quiebra. Curiosamente a la interpretación condicionada y caprichosa se le ha llamado «interpretación libre» y se utiliza para defender doctrinas preconcebidas. Para encontrar la Palabra hay que ir suelto, desasido de todo prejuicio, principio cerebral, ideología o interés personal. *En el río hay que sumergirse desnudo*. Solo en la desnudez y profundidad del ser se encuentra el Espíritu.

---

[25] Sofisma: razón o argumento aparente con que se quiere defender o persuadir lo que es falso.

Ayuda bastante conocer el entorno humano y material de los escribientes, lo que se ha llamado interpretación histórico-crítica, pero no es suficiente. Las erudiciones pueden ayudar o pueden ser ruido cerebral. La Presencia de que hablo se percibe como «un ligero susurro de aire» (1R 19,12) que abraza suavemente nuestra veleta y, a veces, se hace esperar como en el caso de Elías.

Esa interpretación profunda, dócil, susurrante, que supera la racionalidad de la «interpretación histórico-crítica» podríamos llamarla «interpretación mística». Se manifiesta como una luz inesperada, un descubrimiento, una aplicación práctica nueva, el despertar de una nueva aspiración o su toma de relieve, una interpelación personalizada, una conexión nueva con otros textos, etc. Y, desde luego, es impredecible. No es la consecuencia del estudio sino de la apertura sincera a ese Dios que buscamos apasionadamente a través de su Palabra.

La razón —en contra de lo que piensan algunos— no es el último recurso. Existe en el ser humano una capacidad de conocer intuitivamente que supera la razón. Esa capacidad, aplicada a la interpretación de la Escritura, la llamaríamos «interpretación mística». Es individual y personalizada pero nunca debe confundirse con la «interpretación libre» que aquí he mencionado y que, intencionadamente, he denominado «caprichosa o interesada». La «interpretación mística» es un tesoro, un don, un regalo, al que busca sinceramente. La interpretación libre es un peligro.

2. *La sacralización*: Para destacar la importancia de la Escritura la hemos sacralizado y petrificado. Por eso llamamos «Palabra de Dios» a todo lo que se lee. Se exagera para captar

nuestra atención sobre la importancia de la Escritura. Lo mismo que hacía nuestra madre al exagerar los efectos milagrosos del escapulario.

Esa exageración tiene un alto coste. Al hacernos adultos y comprobar que no eran ciertos aquellos dramatismos, despreciamos los exagerados consejos de mamá y tiramos al niño junto con el agua de la bañera. O, por el contrario, permanecemos petrificados por el infantilismo y no nos atrevemos a pensar por nuestra cuenta, ni a soltar la medalla.

Al llamar «Palabra de Dios» a todo, el subconsciente nos empuja a la interpretación literal. Leemos la descripción de los juncos y, sin haber tocado el agua del río, proclamamos: es Palabra de Dios. Tragamos juncos por agua. Esa «pedagogía de la exageración» es causante —antes o después— del alejamiento de unos, la indiferencia de otros o la desorientación de muchos. Por ejemplo: escuchamos atentamente y constatamos la incoherencia de la primera lectura con el evangelio, la reacción espontánea es desenchufar. Lo que debería ser alimento saludable se convierte en piedra de tropiezo y abandono.

Por otro lado, *sacralizar es tanto como congelar y poner a distancia.* Nadie puede beber de un río congelado. Las cosas sagradas son «intocables», «inalcanzables», «ocultas». Por eso el comentario a la Escritura (homilía) solo se permite a los sacerdotes. Solo ellos están «en el secreto». Solo la interpretación oficial y rutinaria es válida. Con ello se niega la asistencia del Espíritu a los creyentes y se nos priva del «testimonio vital» de tantas personas transformadas por la Palabra. Se embalsama la Escritura en el ambón o en preciosas encuadernaciones. Un gran número de fieles terminan convencidos de que esas viejas e ininteligibles lecturas son «cosa de curas».

Sin embargo, para captar el río de la Palabra, *hay que zambullirse en el agua, beberla, paladearla, dejarse impregnar.* La Escritura hay que manosearla, voltearla, amasarla, masticarla, con toda confianza, porque ha sido escrita para nosotros. Si la momificamos, la estamos declarando muerta y no podrá trasmitirnos la vida que contiene. Una vez más el celo por tenerlo todo atado y bien atado impone rigidez. No nos hemos percatado de que la rigidez es síntoma de muerte *(«rigor mortis»).* Los católicos deberíamos ser cultivadores de vida, nunca embalsamadores. San Pablo nos da pistas: «Nuestra capacidad nos viene de Dios, que nos ha capacitado para ser servidores de una alianza nueva no basada en pura letra, porque la pura letra mata y, en cambio, el Espíritu da vida» (2Co 3,4).

3. *La revelación cerrada*: No tengo inconveniente en alinearme con la doctrina oficial y afirmar que la revelación quedó completada con la venida de Cristo, la Palabra misma. Pero, a renglón seguido, debo confesar que la revelación sigue y seguirá mientras el hombre habite la tierra. Dígase, si se quiere, que todo está potencialmente en el Libro. Pero no se abuse del concepto de «revelación terminada y única». Puede que la revelación esté completa, contemplada desde el vuelco de Dios, pero es evidente que no lo está mirada desde nuestra apertura y capacidad de comprensión. La historia del hombre es evolutiva, como lo es la historia personal. Por tanto *la revelación es progresiva* al ritmo que la especie o el individuo crece y se perfecciona. Lo dice claramente el Evangelio y ya lo cité antes: «Él os lo enseñará todo y os recordará todo lo que os he dicho» (Jn 14,26); «Yo te he revelado a ellos y seguiré revelándote...» (Jn 17,26).

Por tanto es de sabios y santos estar atentos a las cosas, personas, acontecimientos, que nos ayudan a descubrir el verdadero rostro de Dios y el camino del encuentro, fin último de la Escritura. Todo eso es «revelación» para nosotros.

Hay que cultivar sin miedo la relación con lo que nos hace vibrar en profundidad, lo que nos transmite vida, luz, fuerza. Puede ser la naturaleza, libros, música, personas... A esas *relaciones vivificantes*, que paradójicamente pueden no estar vivas, hay que darles prioridad porque son verdadera «revelación» para nosotros, son el pan del crecimiento. Lo mismo habría que decir de *la revelación personal*: esas aspiraciones profundas, esas intuiciones, ese pasico que se impone desde dentro... Por ahí nos está llegando la Palabra, no quiso quedarse confinada en el Libro. Él nos sale al encuentro en cada esquina: «Estoy a la puerta y llamo...» (Ap 3,20).

149

Digo esto porque, a veces, agarrados a una estupenda Biblia, un leccionario o un breviario, caminamos «ciegos y sordos» *relegando lo que palpita en nuestro interior o la vida que otros nos contagian.* Damos la espalda a verdaderos enviados porque no vemos sus alas. Olvidamos que Él nos sigue hablando «en múltiples ocasiones y de muchas maneras» (Heb 1,1), que su *Presencia sigue aquí,* dentro y fuera de nosotros. Hay que evitar la tentación de enfrascarse en descifrar mensajes milenarios sin prestar atención a los mensajes del Acompañante que, hoy, camina a nuestro lado.

Son garantía de la *revelación viva y actual* aquellas palabras del testamento de Cristo: «Muchas cosas tengo que deciros todavía, pero ahora no estáis capacitados para entenderlas. Cuando venga él, el Espíritu de la verdad, os guiará a la verdad completa. Pues no os hablará por su cuenta, sino que os dirá lo que ha oído y os anunciará las cosas venideras» (Jn 16,12).

Citaré otros dos escollos que no es momento de desarrollar. Uno es la enseñanza incongruente y teórica de la religión en nuestros colegios, necesitada de mayor coherencia con la praxis pedagógica («hacer es la mejor forma de decir») y una urgente adaptación a nuestro tiempo. Quien lo dude que coja algunos de los libros de religión editados y lea —por ejemplo— la historia de Abrahán, personaje clave en la Escritura. Pregúntese después qué mensaje prenderá en nuestros hijos: el de la fidelidad total o el del «dios» que induce al parricidio. ¿Nos extrañará que, más tarde, rechacen inconscientemente ese «dios falso»? Me consuela que algunos profesores, bien preparados, sabrán distinguir claramente el mito —propio de la época— de la pedagogía del mismo.

El otro escollo grave es la *muy deficiente selección de lecturas para las celebraciones litúrgicas*. Es imprescindible que nos den a los fieles alimento asimilable en cada Eucaristía, sin pretender hacer un recorrido formalista por la historia bíblica. Por fin, esto se ha reconocido en el último Sínodo de Obispos sobre la Escritura (finales 2008) y se nos prometen reformas.

Mientras tanto, no me extraña que mi amiga Mercedes se salga de la iglesia cuando se leen determinados textos.

La controversia

Al llegar a esta parte de mi reflexión ya conozco algunas objeciones. Los más ortodoxos descalifican mi tesis inicial: *No «toda» la Escritura es Palabra de Dios*. Me insultan sin contemplaciones y me abruman con una serie de citas oficiales que sostienen lo contrario. De eso me quejo precisamente: ¡Que todavía hoy se mantengan textos que, con criterio integrista y sacralizador, afirmen tesis superadas! *Eso desorienta y hace daño a muchos que buscan sinceramente la doctrina del Señor.* Lo sé por experiencia propia y ajena. Me duele amargamente que se confunda al Pueblo de Dios, es decir, a la Iglesia. Ese dolor motivó el comienzo de este largo artículo. Volveré a gritarlo: ¡Deben revisarse y cambiarse en los textos oficiales (liturgia y catecismo, por ejemplo) expresiones obsoletas y superadas!

Me limitaré a plantear algunas preguntas para que cada cual saque sus conclusiones:

¿Vendrá de la Palabra la inspiración de cometer un parricidio «fiel» para honrar a la divinidad? ¿Serán las matanzas, las venganzas, los celos, los adulterios, los robos, la explotación de los débiles, etc. —descritos profusamente en la Biblia— dictados por la Palabra? ¿No será, más bien, que gentes primitivas engendraron una «religión primitiva y bárbara» que justificó sus crímenes colgándoselos a la voluntad de Dios? ¿No será, más bien, que la Palabra fue el freno a tanto dislate y el impulso humanizador de gentes mayoritariamente deshumanizadas? ¿Aún en el Nuevo Testamento no fue una «religión bárbara» aliada con un poder bárbaro la que quiso aplastar la Palabra?

Iré aún más lejos: ¿En nuestra propia historia cristiana no hemos participado también de la «religión bárbara» —de la que venimos— «justificando» el martirio de la Palabra con una supuesta voluntad de Dios, necesitado de resarcir su honra para perdonarnos? ¿No fue una «religión bárbara» la que encendió guerras santas, hogueras purificadoras, conspiraciones bastardas, etc. y acaparó los tres poderes en una tiara santa?

Me atrevo a decir que hoy estamos, en gran medida, entre una «religión bárbara» y una «religión infantil». No hay más que observar, por ejemplo, los signos rancios y elitistas con que los líderes religiosos se presentan (¡qué vergüenza Señor!) ante el santo Pueblo de Dios. Uno piensa ingenuamente que el «poder y la gloria» solo le pertenecen a Dios...

Menos mal que, tanto ayer como hoy, queda un resto numeroso que, superando formalismos y exageraciones, busca sinceramente la Palabra, la enarbola y la difunde en un mundo medio bárbaro, a pesar de sus conquistas intelectuales. *Ese resto cree en una religión humanizadora, liberadora y adulta,* que fluye en el hondón de los humanos, les ilumina, les levanta y les proyecta al horizonte de una tierra nueva. ¿Qué querrá decir «y la Palabra se hizo carne» o «el reino está dentro de vosotros»?

Una vez más proclamaré que hay que ser valientes, caminar y avanzar, «cantar un cántico nuevo» (Ap 14,3). No es anclándose al pasado como se puede progresar. No es cultivando una «religión infantil» de miedos, ritos y normas externas, coacciones a la libertad y conductismo social, como se llega a la madurez y plenitud humanas. *La auténtica religión nos lleva a ser autónomos y libres, es decir, adultos.* Para hincar la rodilla, rotunda y sinceramente, ante el Dios Amor revelado hay que descubrirlo «en espíritu y verdad» en lo íntimo de nuestra humanidad. ¿No es eso lo que nos demuestra la encarnación, la Palabra «hecha carne»? Las exageraciones y los angelismos son lo que muchos rechazan de la religión. La ven como algo superpuesto, artificial, innecesario, pasado de rosca. ¿No deberíamos demostrar que *la religión cristiana es un camino de humanización,* de continuo progreso, de maduración y de plenitud?

También hay quienes censuran la *lectura subjetiva.* Sé bien que todas las exageraciones son desequilibrios a evitar. Hablé de ello anteriormente. Pero el rechazo total al subjetivismo es otra exageración. ¿Cómo se puede leer con impermeable, es decir, sin implicar al sujeto, dejando fuera toda luz e interpretación personal? ¿Cómo se puede conducir desde el asiento del copiloto? En la misma Escritura se lee: «Cógelo y cómetelo» (Ap 10,9). ¿Cómo se puede comer un manjar sin masticarlo personalmente?

Por un lado nos aconsejan la lectura de la Biblia. Por otro nos dan el alto, no vayamos a caer en el subjetivismo. ¿Si el mensaje es divino, cómo es que cabe en los «paquetes prefabricados» de los ilustres? San Agustín nos explicaría rápidamente que es imposible embalsar toda el agua del mar en un hoyo de la playa. Para encontrarse con la Palabra no es necesario saber qué es la hermenéutica, la exégesis, ni la interpretación sincrónica o diacrónica. A *la mayoría nos basta con tener sed y sencillez.* Quienes exageran los temores demuestran que no creen ni en el Espíritu, ni en la Escritura: «Yo te alabo, Padre, Señor del cielo y tierra, porque has escondido estas cosas a los sabios y entendidos y se las has revelado a los sencillos» (Mt 11,25), «Así será mi palabra que sale de mi boca: no volverá a mí vacía, sino que hará mi voluntad y cumplirá mi encargo» (Is 55,11).

También rechazan la *lectura sectorial,* es decir, la selección de textos. Todo —dicen— es santo y recomendable en la Biblia. ¡Otro dislate! ¿Ignoran estos que los niños toman leche, los ancianos pescado blanco y los jóvenes filetes de buey? Eso de «café para todos» es propio de las dictaduras y, si se trata del espíritu, doble pecado. Para mí *lo importante es encontrarse con el rostro de Dios,* no importa si lo viste reflejado en la fuente, en un río o en un charco. Allí donde lo encuentres contémplalo y déjate fascinar.

Los que con tanto ardor defienden que los textos bíblicos son íntegramente obra divina deberían recordar la *ley del péndulo*, contaminación sociológica de la que nuestros prelados no han escapado. Durante muchísimo tiempo la Biblia estuvo prohibida o desaconsejada o inaccesible por falta de traducción. Incluso fueron condenados quienes recomendaban su lectura. Solo empieza a cambiar esta situación en el año 1943 con la encíclica *Divino Afflante Spiritu* de Pio XII y, de forma más rotunda, en 1960 con la constitución *Dei Verbum* del Vaticano II.

Ni es tan mala la Biblia como anteayer parecía, ni tan sagrada como ahora se pontifica. Es una mezcla propia de toda obra humana. Lo verdaderamente importante es encontrar, en ese paisaje de contrastes humanos, *la Presencia* que en ella se vislumbra acompañando a la humanidad.

No pretendo que cambien mis hermanos ultra ortodoxos. Tal vez su misión sea librarnos de los peligros de la velocidad. Pero, por favor, no impidan otras misiones, ni apedreen a otros misioneros. Hace poco tiempo le preguntaba a un amigo: ¿Qué hubiera sido de los israelitas sin los exploradores? Esos que nos dibujaban en los libros de religión con un gran racimo de uvas portado entre dos y recogido en sus incursiones por la tierra prometida. Más aún: ¿Qué hubiera sido de nosotros si nuestro Maestro se hubiera alineado con la ortodoxia judía? ¡Ahora seríamos todos fariseos!

Todo progreso requiere dar pasos. No anatematicemos a los que caminan delante en nuestra gran caravana eclesial. ¡*Benditos los que abren caminos, ensanchan horizontes, siembran luces y despejan miedos*! De ellos depende que caminemos ágiles hacia la plenitud o que sigamos perdidos en el desierto de un interminable éxodo. Por cierto, que nadie piense que aquellos cuarenta años de los judíos fueron castigo de Dios, como se lee en los textos. Más bien fue el resultado de su propia necedad y desorientación, sumadas a sus limitaciones y miedos.

¡Ojalá no nos pase a nosotros lo mismo!

Otras imágenes

Permitidme, para terminar, dejarlo claro: *lo sagrado no son los textos e historias de la Biblia.* El único sagrado es Dios, que se hace Palabra y zigzaguea por la vida de sus hijos llamándoles, «con gemidos inenarrables» (Ro 8,26), hacia una humanización plena. Posible solo cuando se dejen habitar realmente por su Hacedor.

Música no son las notas que se columpian en un pentagrama, sino la emoción, la energía y el amor que suscita la interpretación de una melodía.

Una bombilla no es la luz, sino el instrumento que hace posible el encuentro de dos polos que se incendian al abrazarse.

Nadie que analice, estudie y describa el vino será capaz de emborracharse. Tampoco los que lo envasan en artísticas botellas o lo exponen en preciosas vitrinas. *Solo «conocerán» la fuerza del vino quienes lo paladeen y lo beban,* quienes lo hagan sangre de su sangre.

Lo mismo ocurre con la Palabra. Su fuerza no está en los textos, ni en su veneración, ni siquiera en su lectura. *El poder de la Palabra está en el encuentro de la creatura con la llamada del Creador,* esa que riega permanentemente toda historia personal y grupal como un gran río. Esa Palabra sigue insistiendo —hoy como ayer— que solo el amor nos conducirá al Amor. No se equivocaba el teólogo que afirmó: «El cristianismo del futuro será místico o no será».

Escogí la metáfora del río porque evoca frescor, alimento, limpieza, fertilidad, permanencia y misterio. Un gran río es casi eterno. Se sabe dónde nace pero no de qué profundidad emerge. Estas otras imágenes nos ayudarán también a comprender lo que es la Palabra —contenido— respecto a la Biblia —continente—. Caer en la tentación de *confundir un perfume con el vidrio que lo contiene es una inmensa necedad.*

Quisiera detenerme un poquito más en otra imagen sumamente ilustrativa. Digamos que *la Escritura es un enorme cuadro con innumerables escenas,* con muchos colores y mezclas, con gran profusión de luces y sombras. En ese gran cuadro concurren un marco, un soporte, distintas formas y colores, barnices, etc. Todo ello forma la parte material del cuadro. Pero eso no es lo importante. *Lo realmente importante es el mensaje, el componente espiritual.* Un cuadro o comunica algo o es un mamotreto inútil, aunque su valor material sea muy elevado por la contaminación mercantilista de este mundo. Es esencial distinguir entre cuadro y mensaje.

Los eruditos han dedicado mucho tiempo a examinar el cuadro y las palabras que lo componen. Desarrollaron una interpretación literal y rígida, que condujo a graves despropósitos y condenas. Se ha avanzado mucho hacia otras interpretaciones que ya no consideran solo las palabras, sino las épocas, el ambiente, el origen, los autores, etc. Me gustaría pensar que actualmente, en ese cuadro bíblico, se trascienden las perspectivas, las luces y sombras, los colores, las líneas, el soporte y el marco, para abrazarse, por fin, *al mensaje.*

Uno se pregunta si tanto experto, tanto trabajo intelectual humano, tanto rizar el rizo, es algo más que aislar los colores, sacar serrín del marco o hilos del lienzo. *A mí me bastaría con una traducción fidedigna*, es decir, con una trasmisión fiel del original. Si además los estudiosos me comparten el mensaje que ellos perciben, miel sobre hojuelas. Me prepararán para abrirme a mi mensaje personalizado. Un mensaje auténticamente divino ha de ser personalizado, revelado por el Dios personal que acompaña siempre a cada uno de sus hijos «en espíritu y verdad».

Es muy bueno dejarse visitar por la Palabra en comunidad. Eso la da volumen, crea lazos de unidad y multiplica la energía (motivación para actuar en consecuencia). Es como dejarse invadir por un misterioso eco. Incluso ayuda a descubrir el mensaje cuando cada uno lo comparte, como en la *lectio divina*. Pero, a la postre, la Palabra es mensaje que ha de germinar en la tierra de cada individuo. Nos han creado individuales y libres, por eso nuestro crecimiento consiste en avanzar hacia la autonomía y libertad auténticas. Por eso el mensaje de la Palabra ha de ser asimilado por el individuo para que pueda fructificar y no quedarse en meras proclamas piadosas. Esto no se opone en absoluto a considerar decisivo, para el desarrollo personal, el ambiente humano, el grupo o grupos en que he vivido y vivo.

Nuestros dirigentes se empeñan en recomendar o imponer los «potitos embasados», es decir, las interpretaciones clericales predeterminadas. En parte tienen razón porque *muchos de nosotros somos infantes con barba o niñas con tacones.* Lo que ya no entiendo es que desconfíen de la acción del Espíritu que asiste a todos y cada uno de los fieles en la medida que se abren y se vacían de ataduras. Se sigue induciendo más a la erudición que *a la búsqueda, a la sencillez y a la limpieza de corazón.*

En mi lega opinión, para empezar habría que enseñarnos a distinguir entre el cuadro y el mensaje. No puede uno impregnarse de la Palabra pegando la nariz al cuadro y repitiendo «Palabra de Dios». Ni colgando el cuadro en lo más alto, incensándolo y repitiendo: ¡es sagrado, es sagrado! Corremos el riesgo de reunirnos para ver o tocar el cuadro como un talismán —ya ocurre con las imágenes— y olvidarnos de su mensaje.

Necesitamos maestros espirituales que, con sus palabras y su ejemplo, nos muestren el camino de la autonomía y la libertad, verdaderos hitos de la madurez humana. Y en cuanto a la Escritura, que nos impulsen por un camino de búsqueda, apertura, escucha, desapropiación y disponibilidad ante el mensaje. Sin caer en la pueril tentación de doblar la rodilla ante el Libro. Eso sería una idolatría o una superstición estúpida, como lo es pararse a admirar el dedo de quien te muestra la luna.

Siempre he pensado que la voz del Espíritu es multicolor, personalizada e ilimitada. Ni siquiera los próceres pueden pretender abarcarla, comprimirla y prepararla para llevar. No son las palabras lo que los letrados nos deben empaquetar. Más bien deben avivar *la pasión por la búsqueda del mensaje* para que cada cual haga la experiencia de encontrar la fuente y saciar su sed: «¡Qué bien sé yo la fonte que mana y corre, aunque es de noche!» (Juan de la Cruz).

Pongo punto final a mis reflexiones sobre la Palabra: No cierres el altavoz, pero tampoco lo adores ni lo abraces. *La música que te embelesa viene de más allá.* Si lo que oyes son ruidos o discordancias, no los confundas con la música, son naturales interferencias humanas, defectos del medio transmisor. Mantén encendido y limpio tu receptor personal, imprégnate de las melodías de más allá, déjate contagiar de vida. La Palabra lo dejó dicho de forma simple y concreta: «El que tenga oídos para oír que oiga» (Mt 11,15 y muchos más).

CARTA PARA DEPRIMIDOS

Ha llegado el otoño con sus días grises y sus luces cortas. La naturaleza se repliega y parece que la vida se aleja de nosotros como el sol. Sé que tu llagada sensibilidad recoge todos los quejidos de la tierra y tu depresión aumenta en este tiempo. Permíteme recordarte el *principio de individualidad*, que rige la vida, y el *privilegio de la libertad*, exclusivo del ser humano. Nadie puede vivir por ti. Eres tú quien tiene que vivir y gestionar tu libre individualidad. Si acaso, alguien podrá iluminarla, como intentan estas líneas. No puedes pretender que carguen contigo como si fueras un fósil. Tienes una *responsabilidad intransferible* que nace de tu *libertad personal*, esa que en ocasiones con tanto ardor defiendes.

Tu tendencia a dejarte caer, a postergar toda acción, a exigir que los demás trabajen y decidan por ti, son hábitos mortíferos que vienes cultivando desde hace demasiado tiempo. Si necesitases un riñón, con celeridad me haría tu donante. Si una transfusión mía te animase, ahí me tendrías. Pero tu situación depende de tus opciones personales y tus actitudes ante la vida, que yo no puedo cambiar. A estas alturas ya sabes que la depresión no mejora huyéndote, ni compadeciéndote, ni justificándote, ni echándote a la suerte, esa fantasmal impostora. *Las cosas no cambian solas,* es necesario actuar, comprometerse con un plan de vida que te libere de la inacción, recobrar las aspiraciones profundas que laten en tu fondo.

Te ayudará Pablo en Romanos 8. Es un canto a la esperanza y a la vida. Aunque estés frío y alejado en estos momentos, tal vez encuentres el consuelo que anhelas. No puedes seguir alimentando pensamientos de muerte, no puedes seguir claudicando: «Porque el deseo de la carne es la muerte, pero el pensamiento del espíritu es la vida y la paz» (Ro 8,6). Tienes miedo y agigantas con tu imaginación los fantasmas del futuro omitiendo la actividad del presente. ¿Olvidaste que a «esa loca» solo se la vence huyendo y abrazándote a la realidad? Te acongoja la soledad y olvidas que no estás ni dejado ni solo: «Y si el Espíritu del que resucitó a Jesús de entre los muertos habita en vosotros, el que resucitó a Cristo Jesús de entre los muertos vivificará también vuestros cuerpos mortales por obra de su Espíritu, que habita en vosotros» (Ro 8,11).

Sé que, en ocasiones, tus *errores del pasado* emergen como monstruos y te sientes culpable, derrotado, perdido. Otras veces culpabilizas a los otros y a las circunstancias. Cuando te dejas envenenar por la culpación propia o ajena estás matando el presente, único momento que realmente tienes para rectificar. Estamos sometidos a la *ley de la causalidad*: «a tal causa corresponde tal efecto» o, dicho de otra forma, «todo acto u omisión tiene sus consecuencias». Ya no tienes dominio sobre los actos pasados, de nada sirve lamentarse o despreciarse por ellos. Solo cabe aceptar las amargas consecuencias y gestionar tu presente (tus pensamientos, tus actitudes, tus actos, tus relaciones). Ese es tu gran poder: *de lo que hagas u omitas ahora dependerán los efectos futuros.* No hay actos neutros, todos tienen consecuencias positivas o negativas.

Tu situación actual es consecuencia de tu pasado, el que elegiste o el que dolorosamente te impusieron. Pero no puedes hundirte en una inactiva culpación o paralizante temor. Mientras hay vida hay esperanza: «No hay condenación alguna para los que están unidos a Cristo Jesús. Porque la ley del espíritu, que da la vida en Cristo Jesús, me ha librado de la ley del pecado y de la muerte» (Ro 8,1). «Los que se dejan guiar por el Espíritu de Dios son hijos de Dios. Porque no recibisteis un espíritu de esclavitud para recaer de nuevo en el temor, sino que recibisteis el espíritu de hijos adoptivos, que nos hace exclamar: ¡Abba! ¡Padre!» (Ro 8,14). ¿Dónde nos guía ese Espíritu sino a vivir plenamente, a desarrollar nuestros talentos, a decidir nuestro presente, a ordenar nuestra existencia hacia la madurez y la felicidad? *Dios siempre rema a nuestro favor*: «El Espíritu viene en ayuda de nuestra flaqueza, porque no sabemos lo que nos conviene, pero el mismo Espíritu intercede por nosotros con gemidos inenarrables... Y sabemos que Dios ordena todas las cosas para bien de los que le aman» (Ro 8,26).

Si estuvieses paralítico y la rehabilitación pudiese devolverte el movimiento, harías ese esfuerzo con constancia. Pero la paciente reeducación que necesitas no la afrontas porque te falta coraje y fe en ti mismo. Cada día eliges seguir atado al inmovilismo de tus atonías. La de tu brillante inteligencia que, adormecida, ya no consigue analizar ni comprender. La atonía de tu libertad (tu capacidad de elegir) estancada en esa angustiosa indecisión permanente. La atonía de tu voluntad, que renuncia a movilizar las energías del cuerpo para ejecutar cualquier acción. Y la apatía del propio cuerpo, que te mantiene demasiado tiempo derrumbado, cuando tu movilidad está intacta y tienes sol, aire, ríos y caminos que sorber.

Una depresión no dura siempre. De una depresión se sale. Pero ocurre que la *reeducación de los malos funcionamientos* y en especial de las atonías no se consigue con farmacopea. Cuando nos rendimos a nuestros hábitos perjudiciales estamos rodando cuesta abajo, estamos renunciando a la vida y cortejando a la muerte[26].

Tengo experiencia de lo que cuesta caminar cuando las sombras nos oprimen. Sé que es imprescindible volver a lo más íntimo, a lo más profundo, allí donde todavía brotan aguas cristalinas e incontaminadas, allí donde se encuentra la motivación: «Si somos hijos, somos también herederos: herederos de Dios, coherederos de Cristo; si es que padecemos con él, para ser también glorificados con él. Estimo, en efecto, que los padecimientos del tiempo presente no se pueden comparar con la gloria que ha de manifestarse en nosotros» (Ro 8,17).

¿Podrás decir tú que estás más perseguido que los cristianos romanos a los que escribe Pablo? *Déjate vitalizar*: «Si Dios está con nosotros, ¿quién estará contra nosotros?» (Ro 8,31). En los momentos difíciles de mi vida, incluidos aquellos triturados por la depresión o el fracaso, estas palabras fueron mi roca e íntimo gozo: «¿Quién podrá separarnos del amor de Cristo? ¿La tribulación, la angustia, la persecución, el hambre, la desnudez, el peligro, la espada?... Pero de todas estas cosas salimos triunfadores por medio de Aquel que nos amó. Porque estoy

---

[26] Para más información sobre los funcionamientos véase *La persona y su crecimiento*, editado por PRH España: www.prh-iberica.com.

persuadido de que ni la muerte, ni la vida, ni los ángeles, ni los principados, ni las cosas presentes, ni las futuras, ni las potestades, ni la altura ni la profundidad, ni criatura alguna podrá separarnos del amor que Dios nos ha manifestado en Cristo Jesús, Señor nuestro» (Ro 8,35).

¡Que su fuerza te acompañe! ¡Ábrete a la Vida!

EL GATO EGIPCIO
Providencia, temor, libertad e imaginación

Era invierno y caminaba por una angosta calle de Madrid. Casi me tropecé con un joven que llevaba en sus brazos un canastillo del que sobresalía la cabeza de un raro animalito. Me paré y le pregunté: «¿Es un perro?» «No —me respondió—, es un gato egipcio, de raza *«sphynx»* o esfinge. No tiene pelo, como ve, por eso le llevo vestido de lana y resguardado en este canastillo, para que no coja frío». Mientras hablaba, me mostraba con orgullo aquel arrugado felino y su vestimenta. Le di las gracias por las aclaraciones y nos despedimos.

Apenas reanudé mi camino, me vino a la cabeza una cita (apócrifa) de la Escritura: «Si vosotros, que sois malos, sabéis dar cosas buenas a vuestros gatos, cuanto más vuestro Padre celestial...».

En etapas pretéritas y angustiosas de mi vida, me he agarrado a mucho menos: un dibujo del Padre cuidando un pajarillo o una estampa de un marinero al timón contra la tormenta, pero acompañado por el mismísimo Señor del Universo.

Esa sensación de estar cuidado y de ser acompañado, rebajaba mi nivel de angustia, me tranquilizaba y me llenaba de paz. Después he aprendido que Dios no suele actuar directamente en la vida de sus hijos. Él quiere que caminemos sin muletas y aprendamos a administrar nuestros talentos con *autonomía* y *libertad*. ¿Qué padre preferiría mantener a su hijo en silla de ruedas o en cama toda la vida?

Cuando, hace años, leí *Cristología para empezar* de J. R. Busto[27] ya no me escandalicé. Me pareció muy real aquella frase, decepcionante para algunos: «Dios no nos salva, cuando nos estamos ahogando, haciéndonos caminar sobre el agua, sino que nos salva dándonos fuerza desde dentro para nadar». Algunas personas se angustian cuando comprenden que Dios no les evitará los problemas sino que les apoyará y acompañará para que tomen decisiones y caminen libremente por la vida.

Una persona buena me confesaba que lloró amargamente cuando se dio cuenta de esa autonomía, de esa «distancia» de Dios. Ya no se sentía transportada y segura en sus brazos. Era ella la que tenía que sortear los riesgos y tomar decisiones para evitarlos y, a veces, los perjuicios venían de fuera (una enfermedad, una pérdida, un accidente, etc.). Ese descubrimiento la empezó a angustiar de tal manera que vivía tensa, preocupada, hipersensible, por lo que les podría pasar a ella o a los suyos en el futuro. El «gendarme del cielo» ya no haría de guardaespaldas contra todo dolor, ya no valía vivir colgada de lo alto. *Era ella la que tenía que tomar la vida en sus manos y construirla.* Se le volatilizaron las novenas, las promesas, las velas, las medallas protectoras, el agua bendita... Finalmente me reconoció que ese miedo que ella sentía no era más que *inmadurez,* falta

---

[27] José Ramón Busto, sacerdote jesuita y actual Rector de la Universidad de Comillas (Madrid).

de confianza en sí misma, *temor a la libertad y autonomía* de la persona humana. En suma, puro infantilismo.

¿Entonces, la confianza en Dios no sirve? ¡Ya lo creo que sirve! ¡Vivimos por Él, con Él y en Él! Pero eso no nos exime de conducir nuestra vida con lucidez y seguridad, de poner en marcha todos los recursos recibidos. No podemos olvidar aquello tan antiguo: «Escuchad mi voz, y yo seré entonces vuestro Dios y vosotros seréis mi pueblo; seguid cabalmente el camino que os he prescrito para vuestra felicidad» (Jer 7,22). ¡Qué poco hacemos para descubrirnos como personas, para madurar, para conseguir un equilibrio y realizarnos! ¡Ese es el camino de la felicidad y ahí nace la verdadera religión! Lástima que tantos se conformen con el escapulario, el rito y poco más, sin atreverse a salir de una religión infantil y sin que nadie les estimule.

Pues bien, demos un pasico hacia el equilibrio y la madurez. Cuando nos asaltan temores exagerados (angustias por el futuro) hay que saber que existen en la persona «malos funcionamientos», desequilibrios, que nos hacen ver fantasmas con más o menos gigantismo. La causa más frecuente es el «funcionamiento imaginativo» o imaginación desbocada, a la que santa Teresa llamaba «la loca de la casa». *Proyectamos nuestros fantasmas al futuro y sufrimos en el presente por lo que todavía no ha ocurrido* y, *probablemente, nunca ocurrirá*. Es de necios enrollarse en esas imaginaciones, a veces obsesivas y patológicas.

¿Cuál es el remedio? ¿Colgarse de los santos, hacer novenas, prometer ofrendas, iniciar cadenas, etc.? ¿O, por el contrario, rechazar a Dios por inútil para sacarme de mis angustias? ¿O, tal vez, no salir de casa y vivir encogidos, asustados, amargados? Desde luego si el temor es obsesivo y recurrente lo mejor que se puede hacer es acudir al médico o al sicólogo. Pero la mayoría de los humanos nos basta este sencillo remedio: huir. Es decir, cortar el «funcionamiento imaginativo» (desequilibrio) y no pensar en esos posibles males futuros. Es una insensatez ponerse a dialogar con «la loca de casa» y, peor aún, dejar que gobierne tu vida.

Cuando te acose ese temor al futuro, «corta la imaginación, vuelve al presente». ¡Santo remedio! El temor se esfuma. No recuerdo de quién es esta sensata frase: «El que teme sufrir (futuro) ya está sufriendo (presente) de temor».

El remedio es vivir el presente (gozoso o amargo) y sembrar el futuro. Nadie cosecha trigo si no ha sembrado antes muchos granos. Con nuestras decisiones de hoy estamos construyendo el futuro. Son las opciones de nuestra libertad, hoy y ahora, las que están levantando el futuro. Si malgastas hoy, antes o después te visitará la escasez. Si fumas hoy, antes o después te arrinconará la enfermedad. Si hoy perseveras en el estudio, tu mañana será más próspero. Hay una frase que describe perfectamente la actitud del hombre sensato y religioso: «Haz el cien por cien de lo que esté en tu mano y abandona el resultado a las manos de Dios».

En síntesis, no será Dios quien venga a realizar mis tareas o solucionar mis problemas, pero una vez haya yo realizado mi parte, podré dormir tranquilo sabiendo que hay un Padre que vela por mí en todo momento. De sabios es tener presente esta frase: «Los que cometen el pecado y la injusticia son enemigos de sí mismos» (Tb 12,10). Para después abandonarse en esta otra: «Todo es para bien de los que aman al Señor» (Ro 8,28). Por tanto, ni vegetar acunado como gato egipcio, ni temer más que a nuestros propios errores del presente.

HABLEMOS DEL DOLOR

LAS REFLEXIONES

Me preguntaron: ¿Cómo te explicas tú el dolor? Y no pude evadirme sin hilar una respuesta. Después me puse a exprimir mis palabras por si a alguien pudieran ayudar.

En una elevadísima proporción el dolor es «*dolor evitable*». Está causado por la propia libertad del hombre, su origen está en nuestras libres decisiones.

Somos nosotros mismos quienes cultivamos una insólita variedad de *dolores físicos*. Es el caso, por ejemplo, del fumador que sufre el zarpazo del tabaco o del bebedor al que tumba una cirrosis. O el de quien desemboca en una osteoporosis por falta de ejercicio. O el aplaudido abanico de los horribles e injustificables traumas de los llamados deportes de riesgo. ¡Cuántos dolores evitables nos pueden contar los médicos! Bastaría un poco de inteligencia y voluntad a la hora de usar nuestra libertad para minorarlos o desterrarlos.

También cultivamos muchos *dolores interiores*. Las depresiones, complejos, aversiones, ansiedades, soledades, obsesiones, ambiciones, culpabilidades, etc. suelen ser fruto de nuestros desórdenes y de nuestro olvido de la interioridad. Vivimos hacia fuera, nos importa solo el disfrute inmediato e irreflexivo. No pensamos en las consecuencias de nuestros actos o nuestras costumbres. ¡Cuántos dolores evitables nos podrían contar los sicólogos, los siquiatras, los confesores o, simplemente, los confidentes de tantas personas doloridas! Bastaría poner los medios para limpiar nuestra interioridad lo mismo que nos lavamos el cuerpo o nos cepillamos los dientes.

Nos engañamos, nos abandonamos, nos arrastramos por la vida y, en consecuencia, sufrimos. La ansiada felicidad solo se consigue extrayendo los tesoros de nuestra mina interior. En el carnet personal, junto a la fecha de nacimiento, debería advertirse: «Los años no maduran, son solo el camino. Lo que madura es caminar por los años». Y caminar supone tener metas, tomar decisiones sabias y movilizar energías. Caminar requiere inteligencia y esfuerzo, algo para lo que el ser humano está específicamente dotado. Claudicar, arrastrarse como un gusano o esconder la cabeza como un avestruz, nos degrada a una vida inferior llena de decepciones y dolor.

Las *decisiones personales* nos acercan o nos alejan del dolor permanentemente. Tuve un médico que insistía en que no existe el estado de salud (concepto estático) sino el camino hacia la salud (concepto dinámico). Solía dibujar una línea recta mientras me explicaba: «Mira, en este extremo está la enfermedad y en este otro la salud. Nunca estamos parados, siempre nos movemos hacia la enfermedad o hacia la salud. Todas nuestras decisiones nos acercan a uno u otro extremo de esta raya. Por eso nuestras decisiones no son indiferentes. La libertad personal es el vehículo que nos acerca al bienestar o al dolor». Hay, pues, mucho dolor evitable que es consecuencia de nuestras decisiones.

Pero también las *decisiones de los otros* nos alcanzan. No somos criaturas aisladas, procedemos de unos padres y nos desarrollamos en grupos. Es imposible sustraerse a la influencia, benéfica o maléfica, de los otros, sobre todo de los más cercanos. Pueden alcanzarnos simplemente por contagio porque imitamos lo que vemos. El «entorno humano» (familia, colegio, amigos, etc.) y el «entorno material» (ciudad o pueblo, abundancia o escasez, geografía, clima, etc.) condicionan nuestra libertad personal y, por tanto, nuestra capacidad para alejarnos del dolor.

Hay una frase terrible que resume esta influencia: «Herimos con lo mismo que nos han herido». Si no cortamos esta fatídica cadena, nos convertimos en sembradores de dolor. Estas influencias nefastas suelen ser más o menos involuntarias e inconscientes.

Pero hay también quienes conscientemente nos imponen sus perniciosas decisiones, derriban nuestra libertad y nos clavan el aguijón del dolor. Es el caso del crimen, violación, robo, engaño, abusos, daños, imprudencias, maledicencias, etc. Quizás con esta óptica del dolor puedan entenderse mejor las llamadas «leyes de Dios» o «normas morales». Es evidente que son diques de contención del mal y por tanto del dolor.

El *dolor causado por otros* es más cruel, más perverso, menos evitable. Aunque nuestra libertad elija el bien y el orden, otros pueden imponernos el veneno del mal. Pueden ser dolores físicos, infligidos por una violencia más o menos feroz. Pueden ser dolores sicológicos, sutiles a veces, de múltiple pelaje. Son incontables los métodos que el hombre ha inventado para agredir y someter al hombre.

No menos crueles son los *dolores de omisión*, causados por tantísimos olvidos y dejaciones de otros, por tanta responsabilidad despreciada. Citaré solo dos dramáticos y actuales ejemplos:

los accidentes de tráfico y la paternidad irresponsable, dentro y fuera del matrimonio, tanto en la concepción como en la educación de los hijos.

Desde esta breve panorámica puede vislumbrarse que muchísimos dolores podrían evitarse si suprimiéramos las agresiones propias y ajenas. Quizás desde aquí pueda intuirse por qué el Evangelio (mapa de la felicidad) dibuja las autopistas de la paz (no violencia) y el amor (admiración y donación al otro). Quizás pueda también entreverse por qué se introduce en ese mapa —por primera vez en la Historia— el perdón (cortafuego de la violencia y diluyente del dolor recibido).

En esa generación del dolor también influye la limitación humana. Es la triste realidad de nuestra fragilidad que describe Pablo: «No hago el bien que quiero, sino el mal que no quiero» (Ro 7,19). Sin embargo, aunque nuestra limitación haga imposible la erradicación total del mal (el mal siempre significa dolor), estoy convencido de que las opciones de la libertad podrían disminuirlo hasta límites insospechados. El mal (dolor) podría ser mínimo, es decir, evitable en gran medida.

Menos comprensible es el *dolor inevitable*. Me refiero al dolor causado por las leyes de la naturaleza, por la imprevisible coincidencia de unos genes enfermizos o por una fatídica casualidad. En esos casos el misterio desborda mis limitados razonamientos, mi libertad es inútil y solo puedo acudir a sabias intuiciones de eficacia comprobada. De ello seguiré hablando.

LAS EXPERIENCIAS

Hemos nacido para ser felices. De eso estoy seguro. Pero, con demasiada frecuencia, conducimos nuestra vida obstinadamente. Nos empeñamos en utilizar nuestra libertad para herirnos o para atacar. Ya lo expuse. Pero, cuando el dolor adviene sin causa prevista, sin elección posible, se convierte en un misterio. Cuando te diagnostican un cáncer irremediable... Cuando te avisan del accidente de tu esposo... Cuando aquel terremoto te dejó sin nada... Cuando... Entonces las preguntas te llueven como lanzas: ¿Por qué a mí? ¿Por qué ahora que estaba tan bien? ¿Por qué, si Dios es bueno, consiente todo esto? ¿Por qué...?

Un día caí en la cuenta de que nuestra limitada visión no puede penetrarlo todo, que hay respuestas de crecimiento lento y que la razón no es la única fuente de luz. Me zambullí en lo más profundo, dejé de zarandear mi cabecita y esperé respuestas del interior, de la vida, de la experiencia.

La primera sorpresa fue toparme con *la certeza de que el dolor madura, fortalece, hace crecer*. Seguramente porque te sumerge en ti mismo, te hace palpar tu propia fragilidad y te empuja a buscar dónde hacer pie. La sorpresa es que lo encuentras, que en el interior más hondo hay sólidas cristalizaciones donde apoyarse y descansar. Esa experiencia te hace más consistente, más lúcido y más humilde. La vida empieza a percibirse de otra manera, a vivirse con más responsabilidad y, curiosamente, con más gozo.

Más tarde descubrí la *cortina del tiempo*. Ni el calendario, ni el reloj, ni la agenda son capaces de desvelarnos lo que se oculta tras esa cortina negra o multicolor. ¡Cuántas veces, después de una noche tenebrosa, descubrimos un amanecer radiante! Vivimos con la nariz pegada al tiempo y eso nos impide ver más allá del dolor presente. ¡Cuántas veces un accidente, una enfermedad, una separación o una bancarrota son el comienzo de la paz! La sabiduría popular lo tiene acuñado: «No hay mal que por bien no venga».

Tarda uno en descubrir que, como toda experiencia, el *dolor es personal*. No caben comparaciones, ni proyecciones, ni recetas, ni compasiones. Cuando el dolor aprieta, cada uno destila su propia esencia. Nadie puede hacerlo por ti. Sin embargo, somos muy proclives a interpretar el dolor de otros desde nuestra sensibilidad, desde nuestras heridas y desequilibrios.

Es decir, caemos en el *funcionamiento sensible*, abandonamos el globo de la sensibilidad, sin lastre y sin amarras, a los cambiantes vientos del momento. Nos ahogamos entonces en la vociferante superficialidad, en la sensiblería, en el dramatismo. Caemos, incluso, en la exasperación y el histerismo. No conseguimos más que hundirnos nosotros y contagiar al otro. Lo que realmente ayuda es la fe en el otro, el afecto, la escucha, la serenidad y la solidez del que se acerca al dolor de otros.

También afilamos el dolor, propio o ajeno, con el *funcionamiento imaginativo* que agrava, dramatiza y exagera los males presentes o futuros. Me descubrieron un tumor pero, hasta que me dieron los resultados, cuánto miedo, cuánto sufrimiento, cuánta imaginación descontrolada e inútil... La imaginación envenena la realidad, nos la hace insoportable. Muchas ansiedades tienen su secreto origen en este mal funcionamiento. Un proverbio chino lo sintetiza: «El que teme sufrir, sufre de temor». Hay quien se compadece tanto que se asfixia. La compasión no es quemarse con el quemado sino echar agua a su fuego o... a su jardín.

Aprendí esta lección cuando, presa de mi delirante imaginación, evadía a mi tía Paula, casi ciega e incurable. Se me hacía insoportable acercarme a su imaginado sufrimiento. Un día me armé de valor y fui a verla. Su sonrisa, su paz, su preocupación por mí, me relajaron. Pero, cuando ella me confesó quedamente

«Soy feliz, hijo mío, soy feliz», rompí a llorar como un niño mientras ella me acariciaba. No olvidaré aquella lección porque yo, con mis flamantes éxitos profesionales, no pude decirle lo mismo. Ahora sé que el dolor no se puede medir, ni imaginar, ni comparar. Solo se puede «aceptar» y «acompañar». Bajo la áspera túnica de lo que llamamos desgracia nos encontramos, a veces, la más genuina felicidad, la que nace de lo que uno es y no de lo que tiene, parece, sabe o hace.

He mencionado la palabra aceptar, pura sabiduría. Y, ante el dolor, llave de la consolación. Es de locos golpearse la cabeza contra el muro de lo inevitable, de lo inexplicable. Eso no hace sino aumentar el dolor. Considero sabio a quien escribió: «por el abandono a la paz»[28], o aquello otro: «haz el cien por cien de lo que esté en tu mano pero abandona todo lo demás en las manos del Padre».

Hay todavía un descubrimiento más esencial y definitivo: *la inmanencia de Dios en nosotros* y, por tanto, en el dolor, en todo dolor. La experiencia, la vida, me han confirmado que Él nos habita, sostiene y conduce desde dentro. Nos rebelamos porque pensamos neciamente que Dios nos ha dejado caer en el abismo. ¿Podrá olvidarnos quien afirmó: «hasta vuestros cabellos están contados»? (Lc 12,17). La respuesta está escrita: «Aunque tu madre te olvide, yo no te olvidaré» (Is 49,15). ¿Acaso el padre del hijo pródigo no sufrió con el dolor del descarriado? Pero no podía negarle sus derechos. Esta otra cita también es luminosa: «Dios no nos salva, cuando nos estamos ahogando,

---

[28] Cfr. el audio de IGNACIO LARRAÑAGA, *Por el abandono a la paz*, Ediciones Paulinas.

haciéndonos caminar sobre las aguas, sino que nos salva dándonos fuerza desde dentro para nadar»[29].

Quizás este cuento —que circula por internet— resume lo que quiero deciros sobre esa Presencia que siempre habita nuestro dolor: «Mariela, una preciosa niña de seis años, nunca había oído hablar de religión. Sus padres la habían educado en un estricto ateísmo. Un día la pareja se enzarzó en una feroz discusión que terminó con la agresión mutua y la muerte de ambos. Los abuelos se hicieron cargo de la niña y la llevaron a catequesis para prepararla al bautismo. El primer día la catequista desenrolló un póster con el rostro de Jesús y preguntó: ¿Quién es este? Mariela levantó inmediatamente la mano. Y la pequeña respondió: Ese es el señor que me abrazaba mientras mis padres se pegaban».

Nunca podremos bucear en la experiencia de los demás, ni siquiera en esas catástrofes que nos sobrecogen. Nunca podremos descubrir cómo cada uno es sostenido, iluminado y abrazado en el mismo centro de su dolor o desgracia. Nunca sabremos ni la finalidad, ni la eficacia sanadora del dolor de otro. Solo podemos intuir, desde nuestra propia experiencia, esa «dulce Compañía» que nunca, nunca, abandona a sus hijos. Solo podemos entrever desde la perspectiva futura o desde la confianza en el Dios Amor que «todo es para bien» (Ro 8,28).

---

[29] Véase JOSÉ RAMÓN BUSTO *Cristología para empezar,* Sal Terrae, Santander, 1991, pág. 123.

¿DÓNDE ESTÁN TUS DEMONIOS?

No deja de sorprenderme que todavía haya católicos o clérigos de distinto rango que insistan en hablar del demonio
(el Enemigo) y nos alerten sobre su peligrosa y oculta actividad.

Me incomoda enormemente la falta de actualización de esas
personas y me duele que se sigan contando «cuentos» al Pueblo de Dios para amedrentarlo con una imaginación tenebrista.
¡Por favor, señores sembradores de demonios, *no me hagan
daño a la Iglesia* y, sobre todo, *no me asusten a los niños*! ¿Les
parecen pocos los peligros y daños de esta vida terrena para
que tengan que importarse cornudos e invisibles extraterrestres que nos acosen?

No niego que puedan existir una o varias «especies supe-
riores» que hayan pervertido su libertad y se hayan rebelado
contra su Creador. ¡Puede! Muchos humanos —consciente o
inconscientemente— lo hacen. Pero *lo que no creo de ninguna
manera es que esos diablos circulen ocultamente por nuestro
mundo tentándonos.* Es ilógico, irracional y —una vez más in-
sisto en este argumento— contrario al rostro de Dios revelado
por Cristo.

No conozco, ni puedo imaginar, un padre de familia que tenga una jauría de mastines por los pasillos de su casa, con la finalidad de morder, intimidar o confundir a sus propios hijos. ¿Tú puedes imaginar una situación así, aunque las mordeduras fuesen pequeñitas?

Si no puedes imaginar esa escena por irreal... ¿Cómo puedes creer que Dios Padre —infinita Bondad— nos ha soltado a todos los demonios en esta nuestra casa provisional para tentarnos e inducirnos al mal? ¡Qué absurdo y qué infamante!

Más de uno ya estará pensando en replicar que la Escritura menciona al demonio, a la fiera, al dragón, a la serpiente, etc., e incluso relata las «tentaciones del Señor». ¡Ay la Escritura! *Lo que se escribió para iluminar nuestra razón y no para confundirla, lo hemos utilizado como cárcel de la luz.* Hemos pretendido congelar toda evolución del pensamiento tras los barrotes cruzados de la *literalidad* y la *sacralización*.

En la etapa mítica, por la que discurren los escritos sagrados, toda enfermedad, todo acontecimiento o pensamiento negativo, eran atribuidos al demonio y se habla profusamente de endemoniados. El demonio no es más que la mítica (ficticia, irreal, literaria) *personalización del mal,* la figura antropomórfica o zoomórfica del mal. No es un personaje real que nos sople al oído todas las atrocidades de que es capaz el ser humano.

Las *actitudes internas,* que elegimos y cultivamos, son las que construyen o corrompen al hombre. No el imaginario rabudo. «Lo que sale de la boca procede del corazón y eso es lo que mancha al hombre. Porque del corazón provienen los malos pensamientos, homicidios, adulterios, fornicaciones, robos, falsos testimonios, blasfemias. Eso es lo que mancha al hombre...» (Mt 15,18).

El verdadero demonio nace de nuestra «libertad» y de nuestra «limitación». *Somos nosotros los que engendramos el mal* con nuestra libertad abusada y nuestra escasa capacidad para percibir lo que nos hace daño. Todos los humanos buscamos la felicidad, eso es una evidencia. Sin embargo somos la criatura que más yerra, porque tenemos el privilegio de conducir libremente la vida. Ninguna especie viva de la Creación (vegetal o animal) confunde su felicidad con su daño, su madurez con su perdición. Están guiadas por un instinto certero que las conduce sin error a su plenitud como individuos y como especie.

El ser humano es medio animal y medio ángel. Somos una especie híbrida (Dios sabrá por qué). Tenemos instintos animales pero no predeterminados, sino iluminados por el «libre albedrío». Es decir, asistidos por una *inteligencia* (que piensa y discierne), conducidos por una *libertad* (que elige) y una *voluntad* (que mueve). Es un privilegio, un enorme regalo, un hermoso velero a nuestra disposición para timonear hacia la felicidad. Pero si nuestra libertad se empeña en conducirlo a los pantanos de la irracionalidad, quedaremos atrapados en la ciénaga. El ejemplo de los fumadores ilustra bien esta realidad. Buscan ser felices y fuman. Pero en realidad caminan hacia el sufrimiento. Lo mismo ocurre con quienes comen sin discernir o se suben al innecesario riesgo, etc.

Detrás de todas esas desviaciones de la felicidad no hay diablillos juguetones, ni demonios terribles, simplemente están los «malos funcionamientos» de la persona (desequilibrios o desórdenes) en sus cuatro niveles: ser, cuerpo, sensibilidad y centro cerebral (inteligencia, libertad, voluntad). Imagina, por ejemplo, un coche en el que sus distintas partes no estén perfectamente colocadas y atornilladas. ¡Imposible dirigirlo y llegar al destino! Lo mismo ocurre en la persona.

Hay quienes *eligen conscientemente* esos «malos funcionamientos» porque creen que así llegarán antes a la felicidad —siquiera sea puntual— y desatornillan una pieza, desmontan las luces o hinchan las ruedas a reventar. Antes o después se darán la galleta, es decir, caerán en el sufrimiento. Ese es el primer origen de nuestras desgracias: la *libertad mal usada*.

Hay quienes querrían acertar, conducir seguros hacia la felicidad, pero *se equivocan inconscientemente* y se ven atrapados en malos funcionamientos subconscientes. No se preocuparon por aprender el funcionamiento básico de la persona (no hicieron las revisiones necesarias). Ahí tenemos el segundo origen de nuestras desgracias: la limitación. Es la «desnudez» de que habla el Génesis: «Entonces se abrieron sus ojos y se dieron cuenta de que estaban desnudos» (Gn 3,7).

Lo advertía Pablo: «No hago el bien que quiero sino el mal que no quiero» (Ro 7,19). Limitación humana pura y dura, pequeñez de nuestra luz y fuerza. Y por eso mismo nos vuelve a advertir: «Es necesario que seáis constantes en el cumplimiento de la voluntad de Dios, para que alcancéis lo que os está prometido» (Heb 10,36). Eso prometido no es otra cosa que la felicidad célica y la terrenal por añadidura.

¿Y cómo se evitan las averías de la libertad y la limitación? Con discernimiento, *aprendiendo a distinguir* lo que me lleva a la felicidad de lo que me lleva a la desgracia (aunque puntualmente me reporte satisfacción). Y con formación personal (sicológica y pedagógica) para *ensanchar nuestra capacidad de consciencia* y desarrollarnos como personas. Es imprescindible leer el «manual de instrucciones» del ser humano y aprender a conducir hacia el éxito evitando el fracaso, es decir, el dolor, el sufrimiento, la decepción, la ausencia de paz. Nuestra limitación humana no desaparecerá pero disminuirá. Los llamados «manuales de autoayuda» apuntan en esa dirección aunque son insuficientes.

En conclusión, *que nadie nos meta miedo con supuestos demonios imaginarios*. Bastantes demonios tenemos con los «malos funcionamientos» (desequilibrios en lenguaje sicológico) o con los «pecados (daños) capitales» (en lenguaje eclesial): soberbia, avaricia, lujuria, ira, gula, envidia y pereza. Esas son las siete bestias que patean el mundo y lo corrompen. Esos son nuestros auténticos demonios —engendrados por la estupidez del hombre— que emponzoñan nuestro mundo y lo llenan de dolor. Ese es el Mal, que se expande desde la libertad y la limitación humanas, y que nos devorará si no lo combatimos permanentemente. De eso habla la Escritura y no de otra cosa.

No busques diablos, ni tentaciones de seres extraterrestres. Busca tu «manual de funcionamiento» como persona, busca en tu interior, aprende a identificar la felicidad auténtica, no quieras coger las estrellas reflejadas en inmundas charcas. Eso solo lo hacen los rematadamente bobos. Y no consientas en convertirte en un demonio para los demás, en causante de mal y dolor. De esos sí hay muchos, por desgracia, en nuestro «ambiente humano».

CONFIDENCIAS DE UNA ESTRELLA

—¡Me llamo Claridad y te estoy hablando! ¡Sí, no te asombres!

—¿Tú? ¿La de los guiños radiantes? Sentí que querías decirme algo, pero... las estrellas no hablan. Debo estar soñando...

—¡Te equivocas! *Hablamos a quien nos quiere oír, a quien ansía la luz, a quien busca.* Yo soy la estrella de los buscadores.

—¡Anda ya coquetuela! ¿Cómo vas a saber si busco y lo que busco?

—Para nosotras las estrellas todos los horizontes son cercanos. Veo claramente adónde te llevan los latidos de tu corazón. Sé que buscas la inocencia primera, que trabajas por soltar el barro pegado a tu historia. Sé que anhelas el «cielo nuevo» y la «tierra nueva». Sé que te apasionan la *sencillez del niño y la madurez del anciano.* Eso te aproxima al «reino de los cielos», por eso me sientes familiar y cercana. ¿Me equivoco?

—Pues... ¡Coqueta y además cotilla! ¿Cómo lo has adivinado?

—Te lo he dicho. *Soy la estrella de los buscadores,* de los magos, de los caminantes, de los que desean transformarse. Puedo captar tus aspiraciones perfectamente. ¿Sabes por qué?

—¡Dímelo tú, listilla!

—Porque esta belleza que observas en el firmamento no *es más que el reflejo de lo que llevas en tu interior.* Tienes vocación de estrella, ansías la luz y la belleza. Quien no mira desde lo hondo es imposible que perciba el esplendor del universo. Ahora mismo mirabas al cielo pero, en realidad, te sumergías en ti mismo.

—¡Pues sí lindísima! Admiraba tus brillos, tu serenidad, la constancia de tu resplandor. Y suspiraba por ser mejor, por llegar más lejos, por ser yo mismo, auténtico de verdad.

¿Lo ves? Lo que te fascina de mí no es más que tu aspiración a la luz, a la altura, a la paz. Lo *que de mí te atrae es justo lo que ya está en ti y quiere crecer.* Esta inmensidad donde floto es la proyección de tu interior.

—¿Estás segura?

—Ya lo creo. Vuestro corazón está lleno de aspiraciones profundas pero os conformáis con ambiciones de celofán y calderilla. Por eso se encarnó el Verbo: para redescubriros el potencial de vuestro mundo interior. Él lo llamaba «reino de los cielos», porque realmente es el lugar sagrado que el Creador se ha reservado dentro de vosotros y desde el que os inunda de dinamismo de vida. Es algo así como vuestra límpida e inocua «central nuclear», vuestro corazón auténtico.

—A mí me enseñaron que se encarnó para salvarnos, para obtener el perdón.

—¡Seguís miopes! ¡Estabais perdonados desde el principio! Os creó para haceros *partícipes de su Vida,* para besaros con su gratuidad. Necesitabais ser rescatados, sí, de la poca fe en vosotros mismos y en quien os habita. Os alejasteis demasiado de vuestra grandeza humana, os degradasteis, os perdisteis al buscar fuera los tesoros que lleváis dentro. Por eso os envió un bebé.

—¿Un bebé? ¿Qué relación puede tener eso con nuestra desorientación?

—¡Mucha! Tiene mucho significado la inocencia y potencialidad de un recién nacido. Habéis glosado repetidamente la pobreza de Belén y os habéis quedado en lo anecdótico. En aquel tiempo era frecuentísimo resguardarse en grutas y cobertizos. ¿No ves que no existían los opulentos «cinco estrellas» con que ahora derrocháis?

El Niño os está susurrando dos mensajes esenciales para vuestra raza humana: «nacimiento» y «camino». Hay que nacer de nuevo, regenerarse, volver a la inocencia primera, a la sencillez del fondo. Y vivir caminando, con toda la potencialidad de crecimiento de un niño, avanzando siempre hacia la plenitud.

¿Te has percatado de que el nacimiento sucede en el camino? En el «camino ordinario» hacia el terrenal cumplimiento de una ley civil, la de empadronarse. ¿Ves cómo manan los milagros en el polvo de vuestro mundo?

—Sé que existen los milagros de la Omnipotencia...

—Que no, que no. ¡Obra vuestra! Nacéis con el poder de hacer milagros —recibido por supuesto—. Podéis sembrar el bien en vuestro barro terrenal, podéis cultivar el amor, podéis rebosar luz y abrazos. Eso es lo que significa «nacimiento»: desde vuestra niñez interior, desde la originalidad inicial, podéis crecer, madurar, fructificar.

Te lo he dicho, en vuestro interior nace «el reino de los cielos» y su energía fluye continuamente. Basta con estar atento, con dejarse impulsar, con caminar por vuestra preciosa cotidianidad. ¿Entiendes ahora la lección de «nacimiento» y «camino»? ¿Por qué el Sublime os llegó naciendo y en camino?

—Ciertamente podría haberse ahorrado nacer y vivir treinta años de vida oculta.

—¡Sí! Pero vuestra mentalidad necesitaba un *ejemplo vital, gradual, visual*. El Emmanuel[32] asumió vuestra progresividad y os está remitiendo al cielo reventón que lleváis dentro. Ahí está vuestro privilegio, vuestro tesoro, vuestra ansiada felicidad. Desde ahí lograste conectar conmigo.

Quien se revistió de niño, de fragilidad, de naturalidad, os está invitando a comenzar todos los días, a nacer y caminar siempre por vuestra vida ordinaria.

¿Lo tienes claro? Es muy fácil. Yo, desde aquí, te seguiré iluminando.

—¡Eh, oye! ¡No te vayas!

—¡Chiiis!... Estoy aquí. Mira dentro tonto...

---

[32] Emmanuel significa «Dios con nosotros».

LO QUE DESEO PARA TI

Que tu libertad elija:

> **Amar** en lugar de odiar.
> **Reír** en lugar de llorar.
> **Crear** en lugar de destruir.
> **Perseverar** en lugar de renunciar.
> **Alabar** en lugar de criticar.
> **Curar** en lugar de herir.
>
> **Dar** en lugar de hurtar.
> **Actuar** en lugar de aplazar.
> **Crecer** en lugar de consumirte.
> **Bendecir** en lugar de maldecir.
> **Vivir** en lugar de morir.

Esto es lo que deseo para ti ahora y siempre.

ÍNDICE